AN DOT SOLEY

REGARDS NOIRS SUR LA VILLE LUMIÈRE

NICOLAS REY

AN DOT SOLEY

REGARDS NOIRS SUR LA VILLE LUMIÈRE

ÉDITIONS SYLLEPSE (PARIS)
COLLECTION ARGUMENTS ET MOUVEMENTS

AUX ÉDITIONS SYLLEPSE

Frédéric Gircour et Nicolas Rey, *LKP : Guadeloupe, le mouvement des 44 jours*

Gilbert Pago, *L'insurrection de Martinique (1870-1871)*

ISBN : 978284950-458-1
69 RUE DES RIGOLES, 75020 PARIS
EDITION@SYLLEPSE.NET
WWW.SYLLEPSE.NET

UN GRAND MERCI À CYNTHIA PHIBEL POUR LA PHOTO DE COUVERTURE

TABLE DES MATIÈRES

REMERCIEMENTS

À MA FAMILLE
AUX MILITANTS DE LA PREMIÈRE HEURE

À CES HÉROS ANONYMES
LES DÉRACINÉS, LES TRANSPLANTÉS

À TOUS CEUX QUI ONT...
LE CŒUR ENTRE DEUX RIVES.

AVANT-PROPOS

Nous avons tous en France un lien plus ou moins fort avec la communauté antillaise et sa culture, que ce soit à travers un ami, un voyage, un reportage, un livre, ou un rapport encore plus direct comme c'est mon cas, car nous en faisons partie. Pourtant, moi qui croyais bien la connaître cette communauté, « ma » communauté antillaise, de part et d'autre des deux rives, je n'étais qu'au début de mes surprises, lorsqu'il y a dix ans, l'occasion s'est présentée de m'en rapprocher davantage, en « Métropole », terme avatar d'un héritage colonial toujours persistant.

Jusque-là, j'avais été plutôt réticent à côtoyer assidûment ce milieu à Paris, considérant que la « vraie » identité antillaise ne pouvait être « que » aux Antilles, où je me rendais chaque année depuis mon enfance, y vivant par périodes plus ou moins longues (deux mois à un an). Habitant une ville nouvelle de la banlieue Est, j'y vivais ma culture antillaise uniquement comme « une parenthèse en région parisienne » de cette vie plus ensoleillée qui m'attendait au moins chaque été aux Antilles, n'oubliant pas d'aller zouker chaque week-end avec les quelques amis martiniquais ou guadeloupéens qui avaient la chance comme moi de se rendre « au pays » régulièrement.

Regards noirs sur la Ville Lumière.
Nous n'y étions pas encore…

Car je n'avais d'yeux pour la culture antillaise qu'à partir de « sa source », des plages de Karukera jusqu'aux montagnes de Madinina[1]… mais certainement pas dans sa version parisienne que je considérais alors comme édulcorée, du haut de la tour Eiffel. Durant mes études universitaires et ma

1. Karukera : la Guadeloupe. Madinina : la Martinique.

formation professionnelle en anthropologie et urbanisme, guidé par mon ami et mentor l'urbaniste-architecte Gilles Rousseau, mes rêves d'en savoir encore plus sur les Antilles se poursuivaient depuis la Métropole, y préparant mes enquêtes à l'avance dans le froid pour partir ensuite billet d'avion en poche, rejoindre les quartiers chauds de Fort-de-France ou Pointe-à-Pitre, ce qui donnera lieu à la publication d'un premier ouvrage utilisé encore aujourd'hui en urbanisme, sociologie ou anthropologie (Rey, 2001). Mais les Antillais à Paris n'éveillaient toujours pas plus que cela mon intérêt.

À partir de mi-2004, une période de quasi-sédentarisation en France va se présenter sur près de 3 ans, après un séjour de trois mois dans l'ancienne capitale inca, Cusco. Il faut dire aussi qu'en revenant d'Amérique du Sud j'avais déménagé de ma banlieue multiculturelle pour vivre au cœur de Paris dans les quartiers bobos (sans en avoir ni le statut ni l'envie d'en être), dans un petit studio à Bastille. Mes lieux de prédilection comme les Halles, Bastille ou Pigalle, ou encore Belleville n'étaient plus seulement pour moi des lieux de passage obligé sur Paris : une fois installé sur la capitale ils étaient désormais mon air, mon univers, mon horizon et mon présent.

An Dot Soley. Sous d'autres latitudes.
On devait se revoir…

La vue sur l'immeuble d'en face ou sur les poubelles dans la cour intérieure, avait remplacé la ligne de fuite vers le sommet des arbres du bois de Champs-sur-Marne où j'avais grandi, vers les bateaux de croisière de la Caraïbe au soleil couchant ou les montagnes des Andes, hypnotisantes. Le rouge, le violet, le vert, et les blagues, avaient été dévorés par le gris des vêtements et des regards absents.

Un sentiment bizarre s'installa, inattendu, irréversible, dans tout mon être : un besoin pressant, un besoin immense de combler un manque, comme animé par une part de moi-même qui ne reconnaissait plus cette société française.

Pour la première fois de ma vie, j'étais comme étranger dans mon propre pays! Et j'éprouvais la nécessité de me retrouver avec mes semblables. Avec les Antillais à Paris!

J'ai alors suivi le parcours que bon nombre de Martiniquais et Guadeloupéens avaient fait bien avant: recoller dans la Grande Ville ces petits bouts identitaires qui donnent des repères, de quoi parler, avec des gens comme vous qui vous comprennent. Un autre concours de circonstances participant de cette immersion dans la communauté antillaise fut l'opportunité de réaliser en 2005 une enquête sur les Français d'Outre-Mer et le logement à Paris, coordonnée par George Pau-Langevin alors déléguée générale de l'Outre-Mer. J'ai ainsi rejoint pendant près de huit mois le CMAI[1] pour réaliser une recherche-action visant à mieux comprendre et améliorer le service proposé aux Ultramarins dans leur accès au logement. Le rapport remis fut très bien accueilli, comme le démontra notamment sa large diffusion dans sa version synthétisée.

Juillet 2014... Les années ont passé et je suis devenu encore un peu plus un migrant, depuis que je me suis installé au Mexique, il y a six ans. Lorsqu'on vit dans un pays qui n'est pas celui de votre naissance, on n'est pas d'abord français, colombien, ou chinois: on est avant tout un migrant, quelles que soient les conditions bonnes (mon cas) ou mauvaises dans lesquelles on s'expatrie et on est accueilli. Cette nouvelle phase m'a fait replonger avec un regard encore plus aiguisé, dans ces tranches de vie anonymes, ces profils singulièrement exceptionnels si présents de femmes et d'hommes d'Outre-Mer partis vivre massivement en Métropole sur plusieurs périodes successives. La charge émotionnelle que la proximité des interviews parfois déstabilisantes avait sus-

1. Centre municipal d'accueil et d'information DOM-TOM.

citée il y a dix ans, a depuis, grâce au temps, à la distance, et à l'expérience personnelle de migration vécue, cédé la place au recul nécessaire pour retrouver, plus en profondeur, de façon plus apaisée, ces témoignages…

Enfin, avec le chômage et l'extrême droite en France qui ne cessent de monter, ou encore les luttes qui s'organisent, participer au débat public s'est imposé comme une évidence. Dans cet esprit, nous avons coécrit avec Frédéric Gircour aux éditions Syllepse, *LKP Guadeloupe : le mouvement des 44 jours*, éclairage sur le processus complexe que fut la grève générale aux Antilles en 2009, annonciatrice des printemps arabes…

C'est dans la même dynamique que sort ce nouvel ouvrage, *An Dot Soley. Regards noirs sur la Ville Lumière.* Douze des trente entretiens réalisés originellement il y a une dizaine d'années ont été retenus, en mettant l'accent cette fois principalement sur la communauté antillaise bien plus nombreuse en proportion dans la région parisienne que toutes les autres également issues des DOM-TOM. Je n'ai néanmoins pas oublié d'évoquer dans l'analyse du contexte général, le parcours des Guyanais et Réunionnais ayant dans une moindre mesure migré vers la Métropole.

C'est encore volontairement que le choix a été fait de séparer d'un côté les entretiens, de leur décryptage(s), puis de l'analyse plus globale permettant de resituer pour mieux la comprendre la parole de ces migrants et de leurs enfants issus des Antilles dans les contextes économique et sociopolitique de la France de ces soixante dernières années, selon les générations, le niveau social ou le genre. Tout en faisant le point sur de rares publications ayant abordé la question du logement chez les Antillais à Paris ou autres auteurs s'intéressant aux problèmes de la diversité culturelle dans une France toujours très jacobine, nous entendrons alors des responsables politiques engagés envers ces Français de l'Outre-Mer, ou des personnalités du monde associatif interviewées fin 2014 représentatives de cette population faisant un travail remarquable de reconstruction mémorielle tel que Serge Romana fondateur du Comité Marche 23 mai 98, ou d'autres militants de la lutte antiraciste comme Samuel Thomas, vice-président de la Maison des Potes, qui a emporté plusieurs victoires éclatantes dont certaines récentes, contre la discrimination dans le logement pratiquée par des sociétés HLM ou à l'emploi par des sociétés d'intérim.

Livrées telles quelles, sans détours et souvent crues, parfois amères ou enfouies sous la violence d'une vie, ces paroles toutes recueillies au beau milieu des quartiers, mettent à nu des solidarités inespérées ou des forteresses étonnantes entre groupes ethniques, classes sociales, genres, cultures « de banlieue » ou plus traditionnelle, statuts liés au logement ou religions. Les dates et lieux ont parfois été éliminés dans certains cas extrêmes ; l'identité a été occultée sous des prénoms d'emprunt courants chez les Antillais, et l'âge a été arrondi afin de couper court à toute possibilité de faire un rapprochement avec les personnes concernées. Car il ne s'agit pas de savoir qui a dit ceci ou cela, mais bien de cerner des processus, des logiques, des peines et des joies ramenés en surface, peints par ces artistes aux visages sans nom.

Plus que lire un ouvrage de plus sur les Antillais en France, nous vous invitons à plonger à pic dans les méandres de l'interculturalité concrète, dans ces territoires que certains stigmatisent voire rayent purement et simplement de la carte en les considérant comme « perdus pour la République », tandis qu'à nos yeux ils sont d'abord et avant tout des lieux où, dans les interstices de la domination, quelque chose d'autre s'invente.

Qu'elles soient antillaise à Paris, mexicaine à Los Angeles, rom à Londres ou équatorienne à Madrid, nous gagnons tous à apprendre de ces cultures diverses en mouvement qui se retrouvent dans nos grandes villes, créatrices de rapports nouveaux.

Nicolas Rey,
Guadalajara, Mexique, 14 juillet 2014

1ER TEMPS

LES ANTILLES À PARIS : CONTEXTE

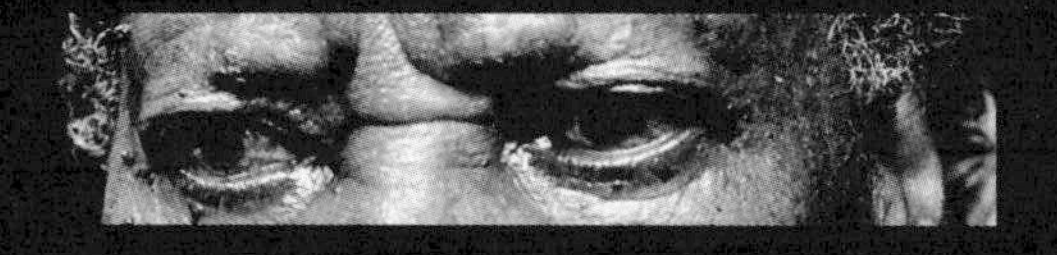

DE LA MIGRATION MASSIVE VERS LA MÉTROPOLE, À L'ENRACINEMENT EN ILE-DE-FRANCE

Lorsque l'on évoque l'histoire politique récente du rapport de la France avec les Antilles au lendemain de la Deuxième Guerre mondiale, on nous renvoie systématiquement à 1946 et la loi de départementalisation, ou encore au Bureau des migrations intéressant les Départements d'Outre-Mer (Bumidom) créé en 1963. Si la première avait pour objectif de développer la Guadeloupe, la Martinique, la Réunion et la Guyane en comblant le retard économique et social sur la Métropole (on parlait alors de « rattrapage »), le deuxième prétendait en complément répondre aux problèmes de la surpopulation et du chômage, en organisant une migration de masse vers l'hexagone, certains allant à juste titre jusqu'à parler de déportation.

Mais une autre raison plus obscure animait pourtant bien ces deux faces – développer sur place et pousser au départ – d'une même pièce: la crainte d'une lutte pour l'indépendance (Condon, 1993; Anselin, 1979) si la pauvreté persistait. Aimé Césaire lui-même s'empara habilement de cet argument pour convaincre les députés réticents de voter « sa » loi sur la départementalisation en 1946. Donc en tentant d'améliorer la vie dans les DOM et en éloignant vers la Métropole une jeunesse potentiellement capable de se révolter, l'État souhaitait réduire tant que possible l'éventualité de soulèvements susceptibles, le pire pour lui, de déboucher sur la perte de ces territoires, tout en disposant dès lors dans l'hexagone d'une main-d'œuvre francophone pour occuper les bas postes de l'administration dont peu de citoyens français voulaient. En 1963, grâce au Bumidom, la France a pu, avec cet afflux significatif d'Antillais, poursuivre dans sa dynamique de croissance économique en les intégrant au marché et à la fonction publique, essentiellement dans les échelons peu qualifiés des hôpitaux, de la police, ou encore de la poste. Cela fut presque providentiel, puisqu'en 1963, un an après « la perte » de l'Algérie, il fallut bien chercher à remplacer la main-d'œuvre algérienne également francophone et largement exploitée jusque-là, devenue plus rare en France après l'indépendance de 1962. Rappelons aussi que le Bumidom s'inscrit dans cette France d'après 1945 engagée dans une modernisation effrénée destinée à la faire passer d'une société à dominante rurale, à un modèle de type industriel et urbain.

Et ce que l'on sait beaucoup moins, c'est que cette logique coloniale et capitaliste dans la région Amérique allait bien au-delà de notre seul pays : en 1946, les puissances impérialistes en perte de vitesse ou dominantes, mais alliées, comme la France et les Pays-Bas, l'Angleterre ou les USA, se réunirent au sein de la dite Commission des Caraïbes dans le but de trouver des pistes de développement économique et social (Leprette, 1960) entre autres pour les trois Guyanes, Puerto Rico, la Jamaïque ou les Petites Antilles. Or, si la vocation de cette organisation, « étrangement », n'était pas politique selon ses statuts, qui pourrait cependant être dupe ?

La Commission anglo-américaine qui l'avait précédée depuis 1942, visait ouvertement à contrôler la route de la Caraïbe incontournable dans le marché mondial, en étroite relation avec le Canal de Panama sous occupation yankee, tandis que persistait chez l'Oncle Sam la peur de perdre Puerto Rico également conquise sous l'influence de la doctrine Monroe qui considérait les Antilles et l'Amérique centrale notamment comme la « cour arrière » étatsunienne. Sans oublier que la « menace communiste » se rapprochait, ce que ne démentirait pas la Révolution cubaine victorieuse en 1961. Il fallait donc agir vite, et de façon coordonnée !

En 1948, un Bureau des migrations (*Migration Division*) fut créé pour faciliter la migration des Portoricains vers les États-Unis ; c'est presque exactement sur ce même modèle et sous le même nom, que vit le jour en 1963 le Bureau des migrations intéressant les Départements d'Outre-Mer (Bumidom), ces deux « bureaux » ayant pour mission de déplacer les Antillais des périphéries vers le centre du système colonial, en les y intégrant dans un deuxième temps.

L'immigration ultramarine en France a alors été organisée de façon massive par les autorités françaises durant les décennies 1960 et 1970, appelées aussi « années Bumidom » : 157 000 Français, pour la plupart de Guadeloupe, Martinique et Réunion, rejoignirent la Métropole et principalement l'Ile-de-France par le biais de ce bureau pour les migrations et par d'autres voies telles que l'armée, la migration sur concours administratifs, la mutation, ou la migration spontanée (Weber, 1994). Durant les années 1980, avec la fermeture du Bumidom, les départs vers la Métropole vont commencer à se ralentir substantiellement, puis au recensement de 1999, on notera néanmoins une augmentation démographique des personnes dites « originaires des DOM-TOM », avec une progression de 11 % en comparaison avec le dernier recensement de 1990 (Marie, 2004). Mais que l'on ne s'y trompe pas : cette augmentation fut plus le fait de nombreuses naissances en Métropole que d'une dynamique migratoire vers cette dernière de personnes nées dans les DOM-TOM. Durant les années 1990, les « originaires des DOM-TOM » sont donc de plus en plus des personnes nées et vivant sur le sol métropolitain, et de moins en moins de nouveaux arrivants, tandis que les nouveaux arrivants eux ont surtout choisi de rejoindre d'autres régions comme le Sud-Ouest, plutôt que l'Ile-de-France, schéma tout aussi valable pour d'autres provinciaux boudant davantage désormais la capitale (Liagre, 2001).

Alors que le Bumidom ferma ses portes en 1981, laissant la place à l'Agence nationale pour l'insertion et la protection des travailleurs d'Outre-Mer (ANT), donc plus dans une logique d'intégration que de migration, et afin de mieux comprendre dans quel contexte plusieurs structures prirent bon gré mal gré le relais du Bumidom pour faire face, il est vrai un peu « seules », au problème pourtant global de l'emploi, mais aussi du logement des Ultramarins en Métropole, George Pau-Langevin[1] nous retrace l'évolution du traitement de la mobilité et de l'insertion :

> Le Bumidom a essayé de gérer l'insertion des migrants de l'Outre-Mer en Métropole dans sa globalité – mobilité, travail, logement – avec plus ou moins de réussite : à son arrivée on pouvait trouver du travail, mais le logement était souvent en chambre de bonne. Au milieu des années 1970, le CASVP[2] avait été condamné car il ne voulait pas de « personnel de couleur » ; le CMAI avait alors été créé pour mieux appréhender cette question des ressortissants Outre-Mer.
>
> La gauche avait attaqué sur la migration organisée sous le Bumidom ; par l'ANT, elle voulait privilégier l'insertion par le logement, l'aide sociale, l'accès à l'emploi et à la formation, ainsi que travailler sur le volet culturel. Dans l'insertion sociale il y avait aussi le souhait de conserver le lien avec le département, par des voyages-vacances sur le modèle des congés bonifiés. L'ANT a été fermée en 1993 mais les prestations spécifiques n'ont pas été remplacées, telles le rapatriement des corps ou les retours sociaux pour les gens en difficulté ici qui rencontraient des problèmes d'adaptation. Face au désengagement de l'État, les collectivités locales se sont dit qu'elles devraient assurer l'accompagnement de leurs ressortissants.

ENTRE MYTHE DE LA « MIXITÉ SOCIALE » ET RÉALITÉ DE LA SÉGRÉGATION

Durant les années Bumidom, l'administration logea ses fonctionnaires, comme dans ce qu'on appela les « tours PTT » et en hôtel. Marie-Christine Magnaval (2004)

1. Entretien réalisé le 20 décembre 2005, Délégation générale à l'Outre-Mer, mairie de Paris.
2. Centre d'action sociale de la Ville de Paris.

montre cependant que les Antillais à leur arrivée en Ile-de-France furent moitié moins nombreux que les provinciaux à avoir été logés en foyer PTT ou foyer jeunes travailleurs (21,9 % contre 42,9 %). Ils ont d'abord été logés par leur famille (28,1 % contre 5,9 % pour les provinciaux), puis à 20,3 % par leurs propres moyens (ou en hôtel).

On peut donc considérer que d'un côté les Ultramarins des PTT furent certes bien pris en charge en étant insérés par le travail et le logement mais que la solidarité familiale par l'hébergement l'emporta en Métropole afin de faire face ensemble à cette nouvelle vie, loin du « pays », dès leur arrivée...

Condon (1995) rappelle que l'entrée des Ultramarins dans le logement social fut diversement appuyée durant les années 1960, en tout cas elle le fut pour les employés du service public en particulier ou de l'État en général, tandis que les employés de petites entreprises du secteur privé accédaient d'abord aux chambres meublées, les années 1970 leur ayant été plus favorables avec l'assouplissement des conditions d'entrée. Cet auteur s'étonne aussi du fait que la concentration des Antillais se fasse dans les mêmes communes ou quartiers :

> Ce qui est frappant, c'est que, malgré le fait que la préfecture de Paris et les sociétés de HLM possèdent des patrimoines dans toute l'agglomération parisienne, les ménages antillais qui accèdent à un logement social, soit par leur employeur, soit parce qu'ils sont inscrits sur la liste des mal-logés, se retrouvent groupés dans les mêmes communes ou quartiers (Condon, 1995 : 20).

Les ménages antillais sont ainsi surtout présents dans des communes comme Stains, Garges, Sevran, Aulnay-sous-Bois, avec une proportion de locataires d'un HLM qui dépassait les 60 % au recensement de 1982 (Marie, 1985) :

- 69 % pour Aulnay-sous-Bois, Stains ;
- 67 % Sevran ;
- 63 % pour Bobigny et 60 % pour la Seine-Saint-Denis.

Au recensement de 1999, 47 % des ménages des DOM résidant en Métropole logeaient en HLM, contre 16 % des ménages métropolitains, comme le rappelle Collignon (2002 : 57).

Les Ultramarins sont certes passés à partir des années 1970 de logements étroits dans Paris à de plus vastes en banlieue, mais dans des cités qui se dégradaient. S'ils sont surreprésentés dans le logement social par rapport aux autres ménages français ou même immigrés, il n'en demeure pas moins qu'ils le sont dans les localités du nord-est de l'agglomération parisienne : la ségrégation se dessine. Une politique de peuplement dans le logement social s'est en effet aussi développée en fonction du critère de l'origine, avec une mise en œuvre de la notion de « seuil » (Warin, 1993)[1] pour les occupants : « Il semble bien que les frontières entre origine ethnique ou raciale et caractéristiques sociodémographiques soient poreuses » (GELD, 2001 : 31).

SOS Racisme en 2005 engagea une action en justice pour fichage ethnique et discrimination dans l'attribution, contre Logirep, en partie couronnée de succès en mai 2014 : condamnée à verser 20 000 euros d'amende aux associations Maison des Potes et SOS Racisme, la société a été reconnue responsable de fichage ethnique mais pas de discrimination dans l'attribution des logements. Cette société HLM

1. Dans une enquête très révélatrice, Philippe Warin montre comment les organismes HLM organisent un contrôle du peuplement, bien éloigné de leur mission de service public visant à loger les couches populaires indifféremment de l'origine. Et selon leur propre grille de lecture du marché, le plus inquiétant, c'est que ces organismes considèrent qu'à partir de certains seuils – fixés selon leurs propres critères d'appréciation le plus souvent – le nombre d'immigrés ou supposés tels (originaires des DOM-TOM compris) représente un facteur négatif en terme économique. Afin d'être rentables selon eux, ces organismes veillent donc à ne pas dépasser certaines proportions d'immigrés ; et pour ce faire, ils vont alors développer toute une série de stratégies : « Lorsqu'on est un opérateur local de la politique du logement, l'enjeu principal est d'éviter d'être celui qui reçoit "les ménages en difficultés", surtout les ménages étrangers, maghrébins de surcroît. Le contrôle de l'accès des demandeurs étrangers aux logements locatifs publics combine donc à la fois des non-dits, des non-décisions et des normes inavouées » (Warin, 1993 : 75).

s'était cyniquement appuyée sur l'article 56 de la loi contre l'exclusion pour refuser à un Français d'origine ivoirienne d'être logé dans une « tour en particulier, [car selon Logirep] il y a déjà beaucoup de personnes d'origine africaine et antillaise » (Wallon, 2006).

Cette politique d'attribution animée par une maîtrise du peuplement selon l'origine ethnique, est menée depuis trente ans. Jean-Pierre Lévy (1984 : 141-154) constatait déjà à propos de Gennevilliers :

> On bloque l'accès aux migrants. Cependant, cette baisse s'effectue en faveur d'une nouvelle ethnie : les Français d'Outre-Mer. Ils sont probablement l'essentiel des nouveaux locataires de la cité Cetrafa-Logirep-Sonacotra entre 1975 et 1982. [...] De même, les constructions effectuées après 1976 ne logent pas une très forte proportion d'immigrés. Par contre, elles sont parmi celles qui concentrent le plus de familles originaires d'Outre-Mer.

Au nom de la mixité sociale, on pratique une « ethnicisation » des attributions, ce qui crée aussi de la discrimination :

> L'une des principales conclusions du rapport du GELD sur les discriminations dans le logement social consiste à montrer l'effet paradoxal de la recherche de mixité sociale dans l'habitat. Cet effet s'explique pour deux raisons : en transformant la présence d'immigrés ou supposés tels dans les quartiers en sources de déséquilibre et de dégradation sociale, la lecture en termes de mixité charge négativement la visibilité des « immigrés » et les transforme en « population à risque » ; en fixant l'horizon d'un retour à l'équilibre dans les quartiers en ZUS, la recherche de mixité sociale incite à « ethniciser » les procédures d'attribution, c'est-à-dire à trier les candidats selon leur origine pour éviter de renforcer les concentrations observées. Ainsi, des pratiques discriminatoires sont-elles mises en œuvre au

nom… de la lutte contre l'exclusion et du droit à la ville (Simon, 2005 : 108).

Les Antillais seraient-ils victimes de discrimination comme les autres populations d'origine coloniale mais elles non françaises ? Et pouvant souffrir d'exclusion comme les immigrés, étant assimilés parfois à des Non-Français, sont-ils alors vraiment « français à part entière » ou des « Français à part », comme le soulignait Aimé Césaire ?

« Ils sont français mais pas français », et sont aussi victimes de ceux qui contrôlent « la dose des Noirs et des Arabes dans les immeubles ». C'est en ces termes empruntés à Serge Romana et Samuel Thomas que nous allons entrer à présent plus en profondeur dans la complexité des processus « d'intégration » et des luttes contre la discrimination des Antillais en France en général et des « minorités » noires ou maghrébines en particulier, en suivant l'expérience de ces deux militants associatifs de la première heure[1].

ENTRETIEN AVEC SERGE ROMANA, COFONDATEUR DU COMITÉ MARCHE DU 23 MAI 1998

Serge, parle-nous rapidement de la migration de masse vers « la France », et plus largement de l'« intégration » des Antillais à Paris et de ton expérience dans ce domaine.

Serge Romana : Alors dans les grandes lignes, il y a d'abord eu la crise dans l'économie sucrière à la fin des années 1950, puis un plan afin de résorber le chômage de masse en Guadeloupe et en Martinique et la création du Bumidom par le gouvernement français, cadre dans lequel les gens migrent. C'est une véritable incitation à la migration, on vous donne un billet aller, et voilà ! Et il faut bien comprendre aussi cela : il y a le mythe de « la France » ! Quand j'étais petit, pour nous il n'existait qu'un seul pays au monde : « la France » ! Donc on va découvrir ce

1. Entretiens réalisés en septembre 2014 à Paris.

pays mythique… Un paysan me disait : « Il faut que j'aille voir ce pays où on produit autant à manger ! » C'est assez fort comme idée, comme image ! Les Antillais arrivent donc avec leurs bagages, leur culture, les danses, la langue… Ils reproduisent beaucoup leurs habitudes culturelles, ils créent des associations pour cela dans les années 1980, 1990, mais petit à petit, ça ne suffit pas !

Ça ne suffit pas car cette première génération qui est arrivée en France et qui s'est installée dans le petit fonctionnariat, a ensuite eu des enfants, et comme on est en République, il existe toute une série de pouvoirs et de contre-pouvoirs dans lesquels les gens, à tous les niveaux de la société, veulent être présents. Par exemple, si on prend le cas des Beurs, après les marches de 1983-1984, une partie d'entre eux changeront de stratégie et vont chercher à intégrer l'espace politique… Un peu comme les Noirs américains l'ont fait dans les années 1970 lorsque, après s'être bien battus, ils ont décidé de s'organiser en poursuivant l'action à travers la représentation politique : ils ont alors créé le *Black Caucus*[1]. Les Beurs ont eu une stratégie de pénétration de l'appareil d'État à différents niveaux de l'échelon. Les Africains ont commencé à le faire également mais les Antillais, eux, ont un énorme problème identitaire : ils sont français mais pas français. Donc ils participent mais ils ne participent pas ! Ils connaissent parfaitement bien le système administratif et politique puisque leurs îles sont des départements, c'est le même. Mais lorsqu'ils viennent ici, c'est toujours ce ressentiment par rapport aux Blancs… en particulier pour les élections, car ça, c'est les affaires des Blancs ! Donc ils ne vont nulle part, ils ne votent pas… Dans les années 1990 les Antillais ne votaient pas !

---

1. Le *Black Caucus*, groupe parlementaire regroupant les élus africains-américains au sein du Congrès américain, a vu le jour dans le but de les rassembler au-delà de leur appartenance à tel ou tel parti, afin de peser plus efficacement sur les orientations politiques en faveur des Noirs. En réalité, il est surtout proche du Parti démocrate.

Ce non-positionnement identitaire est problématique Un Arménien sait qu'il est arménien ou il est français d'origine arménienne, un Juif sait qu'il est juif, il est français de confession juive, un Chaldéen pareil, un Soninké pareil… il ne se pose pas ces questions, il utilise les armes qui existent dans la République pour y vivre. L'Antillais c'est beaucoup plus compliqué, parce que l'Antillais a un problème à résoudre : c'est son problème de positionnement, par rapport aux autres et au sein de la République française. Et donc, autant dans les années 1990-2000 on a commencé à voir des Beurs dans les conseils généraux, dans les municipalités, dans les clubs […] où l'élite de ces communautés – entre guillemets – a commencé à apparaître. On a commencé à les voir dans les gouvernements, on a commencé à les voir petit à petit dans l'appareil d'État. Les Antillais, on ne les voyait pas ! Alors est apparue la nécessité d'exister et de façon beaucoup plus structurée, plus organisée. Et pour ça, s'est fait jour la nécessité de se regrouper autour de ce qui fait les groupes humains, c'est-à-dire l'Histoire. Or le problème de l'Histoire chez nous – notre histoire d'Antillais – est occupé majoritairement par une catastrophe, ou en tout cas ce qui est considéré comme une catastrophe, qui est l'esclavage.

Alors… comment regrouper les gens autour de l'esclavage ? Puisque la mémoire de ce qui doit les regrouper est une mémoire douloureuse et honteuse. C'est compliqué de faire ça ! Les gens en général se regroupent et sont fiers d'une mémoire commune qui est valorisante. Mais la mémoire des Antillais est d'origine servile. C'est justement cet individu, appelé esclave, qui était dans les terres, la canne à sucre, les terres de canne à sucre qu'ont fui les Antillais et qui sont, ici, installés dans le petit fonctionnariat. Difficile de leur dire : « Mais non, c'est autour de cette mémoire que vous devez trouver de la fierté et faire en sorte que les autres groupes vous regardent et vous respectent. » Quelle tâche compliquée de faire ça ! Et donc, c'est cette tâche qu'a prise à bras-le-corps le Comité Marche du 23 mai 98. Parce que son problème était justement d'inverser le stigmate de l'esclave, de façon à permettre aux Antillais de pouvoir s'affilier à leurs aïeux, et faire groupe, de faire corps, autour de cette Histoire.

De quels aïeux parle-t-on ?

Des esclaves ! Des esclaves parce que dans l'inconscient d'un Antillais ce sont des esclaves qu'il a pour aïeux ! Par exemple, vous rencontrez un Antillais dans la rue, il est dans une grosse voiture, vous lui dites : « Comment ça va ? » et il répond : « *Vwè mizè pa mò.* » C'est un proverbe de chez nous : « Il vaut mieux souffrir que mourir ». Ou bien lors d'une discussion avec un autre Antillais, il va vous dire : « *Kimbé rèd pa moli*[1] ». Mais on ne sait pas ce qu'il faut tenir bon, pour quoi…

Fouté fè !

Fouté fè[2] ! Ou *kimbé*[3] ! Ou *fos* ! De la force… mais pourquoi ? D'où ça vient ça ? D'où ça vient le « *kimbé rèd pa moli* » ? D'où ça vient le « *vwè mizè pa mò* » ? Ça vient du fait que l'Antillais a été fabriqué quelque part. Sa fabrication, c'est 213 années d'esclavage sur 379 ans de vie. C'est-à-dire plus de la moitié du temps des Antillais est passée en esclavage ! C'est une fabrication dont on ne peut pas s'échapper. Le seul problème c'est que notre mémoire de ce temps de fabrication est restée pendant très longtemps douloureuse, enfouie, et surtout honteuse ; on entendait souvent : « Faut surtout pas parler de ça ! » Ou alors à l'inverse, c'était violent ! : « Le Blanc nous a fait ça ! », « Le Blanc a fait comme ça ! », « Il faut réagir contre le Blanc ! ».

Il y a une hiérarchisation socio-ethnique de la société issue de l'esclavage qui se perpétue finalement ?

1. « Tiens bon, ne faiblis pas ! »
2. Mets du fer ou mets les fers (au feu), signifiant s'activer avec dynamisme !
3. Tiens.

Oui fondamentalement, le préjudice de la couleur qui est issu de l'esclavage agit toujours. Il est là, d'une façon ou d'une autre, peut-être plus important en Martinique où l'ordre... où les descendants de colons sont toujours présents.

Et donc où l'appartenance sociale est directement liée à la peau, à la couleur de peau...

Alors, évidemment, on va dire « oui mais vous avez Aimé Césaire qui n'est pas clair de peau ». Mais quelqu'un de foncé, lorsqu'il devient aisé, va devenir un mulâtre ! Il va rentrer dans la catégorie mulâtre ! Nous sommes en Martinique là, en Guadeloupe ce n'est pas ça du tout ! En Guadeloupe la société s'est horizontalisée[1] !

Comment ressens-tu, au sein du CM98, l'écart générationnel entre les jeunes ayant grandi ici, et leurs parents qui sont venus avec le Bumidom ?

Au sein du CM98, aujourd'hui, c'est plutôt la première génération : le travail mémoriel a surtout animé les premières générations qui se posaient des questions identitaires. Les jeunes c'est différent. On a des rapports avec quels types de jeunes ? Les jeunes n'iront pas au CM 98, ils iront à *Outremer network*, qui est un réseau de jeunes entrepreneurs. Mais ce réseau, pour pouvoir exister, pour pouvoir vivre et se constituer, a besoin du travail mémoriel du CM98. Donc en fait, on est en train de créer des synergies, tu vois ? Si tu veux percer d'un point de vue politique, d'un point de vue économique, en tant que groupe humain, si tu n'as pas la culture, si tu n'as pas la mémoire, si tu n'as pas l'identité, tu ne seras pas capable de développer des solidarités communes et des projets communs. Donc les deux

1. En Guadeloupe, les niveaux socio-économiques ne sont pas des facteurs très significatifs de segmentation de la société : on verra assez souvent des cousins, des amis, issus de classes sociales très différentes, pêcheurs, architectes, fonctionnaires, petits agriculteurs, avocats, pauvres et plus riches, se fréquenter régulièrement sans chercher à marquer forcément de stratification qui serait basée sur les revenus ou le type de profession.

sont liés ! Et ainsi, cette nouvelle génération est en train de se lier avec le CM98 ! [...]

Qu'est-ce que je vois dans le monde antillais ? Je vois des structures... je vois une communauté qui se structure, mais qui ne se structure pas par le haut. Ma conception de la structuration d'une communauté c'est que d'abord elle crée un certain nombre de ressources pour régler des problèmes spécifiques. Pour moi ce qui est le plus important c'est que ces ressources existent ! Parce que c'est lorsque des ressources existent, qu'on sait qu'une communauté est en train de s'occuper d'elle-même. Ces ressources sont en train de se mettre en réseau, d'accord ? C'est fondamental !

C'est-à-dire qu'au départ tu avais des associations culturelles, etc., là tu as des associations plus grandes qui sont des ressources : associations de lutte contre les discriminations, associations mémorielles, associations économiques, associations sanitaires, associations d'ordre social, tu vois ? Voilà c'est en train de monter ! Nous avons besoin de cette dynamique issue de la base !

Et le lien avec les Antilles, se fait-il principalement depuis Paris avec les parents, ou directement à la source, aux Antilles ?

Il se trouve qu'il y a toujours ce système des congés bonifiés qui fait que les enfants partent avec leurs parents. Comment va évoluer tout ça ? Je ne sais pas. Dans vingt ans qu'est-ce que cela va donner ? Je n'en sais rien du tout. Ce qui est clair, mais c'est difficile d'avoir des notions quantitatives, c'est que les soirées traditionnelles sont très fréquentées ! Hier par exemple, j'étais dans une veillée mortuaire, et j'ai été très surpris de voir que des gens étaient venus spécialement de Guadeloupe pour y assister ! C'est toujours très fortement ancré ! Il y a des gens qui se sont constitués en groupes de musique, ce qu'on appelle les *boulagèl*, pour animer des soirées, des veillées ! La nécessité de garder sa culture, d'exister par rapport à sa culture, est très vivace ! Toujours !

Tu ne sens pas que c'est la diaspora qui justement permet ce genre de chose, de revalorisation identitaire?

Ce que je sais, c'est que le mouvement de fond sur la question mémorielle est fondamentalement venu de la diaspora. C'est-à-dire toute la nouvelle grammaire mémorielle sur les « descendants d'esclaves », tout le travail qui a été fait sur les noms. Nous avons quand même retrouvé l'origine des noms de la plupart des Antillais[1] ! Là actuellement nous attaquons les registres notariés qui nous permettront peut-être, pour certains, d'arriver au bateau négrier. Je veux dire que ça ne se fait pas là-bas mais ici, à Paris. Pourquoi ? Pas parce que nous sommes plus intelligents, etc. C'est que le besoin est beaucoup plus grand dans la migration ! C'est comme ça ! C'est comme ça, surtout dans nos pays où il y a une évanescence identitaire, où c'est très difficile... Ce n'est pas comme les pays déjà indépendants qui ont vu les Français venir chez eux, en Algérie, etc. Nous, nous n'avons pas vu les Français venir chez nous ! Ce sont les Français qui nous ont fabriqués ! Ils nous ont fabriqués ! Puisqu'on n'existait pas avant la traite, on a été créés par la traite et l'esclavage. Donc ça donne des populations à identité très évanescente, et donc tout ce travail se fait en migration et c'est un peu normal !

1. Le CM98 a réalisé un travail colossal et indispensable pour l'identité et la mémoire collective des Antillais, qu'aucune institution d'État ou universitaire n'avait engagé sérieusement, à savoir une recherche exhaustive sur l'origine des noms de chaque famille antillaise. Connaître le nom de son ancêtre esclave, mettre un nom sur un visage absent mais omniprésent qui parfois hantait, c'est donc faire apparaître sa lignée sous sa vraie identité et non celle imposée par les colons. C'est un grand pas dans le processus complexe de (re)construction identitaire. Voir *Non an Nou, le livre des noms de familles guadeloupéennes et Non an Nou, le livre des noms de familles martiniquaises,* publiés aux éditions Jasor respectivement les 23 mai 2010 et 2012.

ENTRETIEN AVEC SAMUEL THOMAS, COFONDATEUR DE LA FÉDÉRATION DES MAISONS DES POTES

Samuel, dans un premier temps, parle-nous des condamnations obtenues contre des organismes pratiquant de la discrimination dans le logement envers les Français d'origine coloniale ou les immigrés, et notamment le cas de Logirep.

Logirep c'est une affaire qui, pour une fois, donne un visage à la discrimination raciale dans le logement social. Ce visage c'est celui de Frédéric Tieboyou qui est noir, français, fils d'Ivoiriens, salarié de la RATP. Sa mère enregistre la conversation qu'il a avec Logirep qui vient de lui indiquer que la commission d'attribution de logement lui a refusé le logement qu'il a visité et pour lequel il a donné son accord. Ce logement appartient, entre guillemets, à la RATP et est donc géré par l'organisme HLM Logirep qui gère des appartements appartenant entre guillemets à des entreprises réservataires qui y logent leurs salariés. La conversation qu'Eugénie Tieboyou a enregistrée, est édifiante…

Et c'est la première fois qu'on dispose d'une explication aussi complète de la discrimination par quotas de Noirs et d'Arabes dans les organismes, puisque seize fois pendant la conversation, la chargée de clientèle dit à M. Tieboyou que c'est parce qu'il est noir que l'appartement lui est refusé et qu'il y a déjà assez de Noirs dans cet immeuble. Et qu'au nom de la mixité sociale, on doit veiller à ce qu'il y ait moins de problèmes dans l'immeuble, et que le fait d'être noir constitue un problème. S'il avait été arabe, dans une tour où il y avait déjà beaucoup de Maghrébins, on lui aurait dit la même chose déclare cette chargée de clientèle. Elle dit ainsi clairement ce que les organismes HLM font pour interpréter la loi sur la mixité sociale, à savoir qu'ils refusent des attributions de logement à des personnes en prétendant que celles-ci vont aggraver les problèmes dans une tour du seul fait de leur origine ou de leur situation sociale. Et donc là, en l'occurrence, du fait de son origine, il aggraverait les problèmes dans cette tour.

Pourquoi est-ce un cas emblématique ? Parce que Frédéric Tieboyou ne correspond pas aux stéréotypes de la personne qui pourrait apporter des problèmes sociaux : il est célibataire, sans enfant, il a un emploi sous statut à vie à la RATP avec un bon salaire. Il fait également des études, il est inscrit dans un club de sport, et n'a à charge que sa mère, qui est une ancienne universitaire. Il n'a absolument aucun antécédent d'aucune nature que ce soit, aucune espèce de suivi psychiatrique, social, thérapeutique ou je ne sais quoi… Rien dans son profil ne le présente comme un problème social. Au contraire ! De par son statut d'assimilé fonctionnaire, d'universitaire, de sportif, il serait censé représenter un avantage social pour une tour. Et donc son cas est extrêmement intéressant à défendre parce que d'habitude, les organismes HLM vont réussir à faire croire que ce sont leurs problèmes sociaux et pas leur couleur de peau qui ont été à l'origine de leur éviction.

Donc, sur la base de cet enregistrement, j'ai déposé plainte, en 2005, pour discrimination et pour fichage ethnique. Pas parce qu'il y avait quoi que ce soit qui, dans l'enregistrement ou dans le témoignage de Frédéric Tieboyou, parlait de fichage ethnique. Mais parce que j'ai l'expérience de tous les organismes HLM précédemment poursuivis qui, pour adopter une politique « scientifique » de quotas de Noirs, une politique « scientifique » de discrimination, avaient systématisé le fichage ethnique en distinguant dans leur base de données les Antillais, les Portugais, les Européens, les non-Européens, les Maghrébins, les Africains, etc.

Cela a créé une répartition des habitants en fonction des origines dans un certain nombre d'organismes.

Voilà ! En 2000, donc cinq ans auparavant, j'avais porté plainte contre 22 organismes HLM parmi 32, qui utilisaient un logiciel intitulé Habitat 400. Celui-ci enregistrait le pays d'origine des gens pour organiser des grilles de peuplement. À travers l'expression « pays d'origine », ils se référaient non seulement au pays de naissance des personnes concernées, mais aussi au pays de leurs parents. Et dans un certain nombre d'autres organismes HLM, j'avais mis à jour que l'on distinguait les Français des DOM-TOM, les Français naturalisés, comme à la Sonacotra, ou encore les gens des DOM-TOM et les immigrés comme à l'OPHLM de Vitry-sur-Seine où on distinguait les « allochtones », pour parler des gens qui n'étaient pas de type européen. On pense aussi à l'office HLM du Kremlin-Bicêtre qui distinguait parmi les nationalités la nationalité « africaine », ou encore à l'office HLM de Vitry-sur-Seine disant qu'il fallait mesurer le cumul étrangers plus DOM-TOM pour établir quels étaient les dosages à ne pas dépasser dans les immeubles.

Donc on peut dire finalement que les gens des DOM-TOM n'étaient pas considérés comme des Français…

Ils étaient considérés comme des étrangers non européens. D'ailleurs quand on a envoyé la CNIL interroger l'Office HLM de Vitry-sur-Seine, celui-ci lui a répondu que les parents des Antillais avaient les mêmes coutumes que les Africains.

Cela a-t-il abouti à des condamnations ?

Non. Il faut ajouter aussi que sur les 32 organismes HLM utilisateurs d'Habitat 400, j'avais seulement poursuivi les 22 qui étaient présents en France métropolitaine : naïvement, j'avais épargné des poursuites les 10 autres organismes qui étaient dans les DOM-TOM. Car je n'avais pas compris que les organismes HLM utilisant Habitat 400 et qui étaient en Martinique, Guadeloupe, Réunion, avaient eux aussi des minorités à écarter du logement social, comme les Haïtiens en Guadeloupe par exemple. Je n'avais pas du tout pensé à ça !

Alors qu'ils faisaient exactement la même chose !

Alors qu'ils faisaient exactement la même chose mais je n'avais pas compris ! [...] Par contre, pour préciser, concernant les 22 poursuivis en 2000, plus quelques autres qui sont toujours en procédure judiciaire depuis cette époque, ils ont dit au juge qu'ils avaient mis un terme au fichage ethnique depuis la plainte. Et donc le procureur a estimé, puisqu'ils avaient mis fin à cette discrimination ou ce fichage ethnique, qu'il fallait les laisser tranquilles. Imaginons que vous attrapez quelqu'un qui a l'habitude de trafiquer de la cocaïne avec un kilo sur lui et vous lui dîtes : « Si vous jetez la cocaïne dans les toilettes et vous tirez la chasse, j'arrête les poursuites ! » Voilà ce dont ils ont bénéficié, et à l'époque la loi était mal faite. La loi a changé quatre ans plus tard, et c'est pour ça qu'en 2005 j'ai pu porter plainte pour fichage ethnique et discrimination. Et être partie civile puisque j'ai porté plainte devant le juge d'instruction et non devant le procureur de la République comme quatre ans auparavant. Quatre ans auparavant les procureurs de la République avaient décidé de classer sans suite en disant « ils ont cessé le fichage ethnique après la plainte, nous avons l'opportunité des poursuites, nous ne poursuivons pas davantage ».

À l'époque je n'avais pas le droit d'aller devant un juge d'instruction en me constituant partie civile en tant que SOS Racisme. Je n'avais pas le droit de le faire parce que le Code de procédure pénale ne permettait pas aux associations de lutte antiraciste d'être partie civile sur l'article qui réprime les fichages ethniques, mais seulement de l'être sur l'article qui réprime la discrimination. Donc j'ai fait changer la loi grâce à un sénateur, décédé aujourd'hui, qui était un grand homme, le sénateur Dreyfus-Schmidt avec qui j'ai pu faire passer un amendement pour faire modifier la loi afin que les associations antiracistes aient le droit d'agir sur le fondement de l'article 226-19 du Code pénal qui réprime le fichage ethnique. Quand, en 2005, j'ai les éléments pour Logirep, je me dis qu'il doit forcément y avoir des outils de statistique ethnique, de fichage ethnique, pour théoriser le fait qu'il y aurait des doses de Noirs qui auraient été dépassées et que Tieboyou aurait été le Noir de trop... Et donc qu'il doit y avoir un fichier ethnique chez eux ! Alors, j'ai déposé plainte pour discrimination et pour fichage ethnique. Et finalement, j'ai obtenu du juge d'instruction qu'il fasse des perquisitions qui ont permis de trouver les fichiers ethniques !

Tu avais vu juste !

Ils ont donc été mis en examen pour fichage ethnique, jugés et condamnés le 2 mai 2014. Mais, et c'est un scandale pour M. Tieboyou et sa maman, ils n'ont pas jugé que Logirep était coupable de la discrimination qu'il avait subie en juillet 2005.

Les juges ont-ils considéré que les attributions relevaient de l'appréciation de l'organisme ?

Non. Les juges de première instance ont considéré – et nous disons qu'ils se sont trompés, on gagnera en appel – que l'auteur de la discrimination contre Frédéric Tieboyou, à savoir la société HLM, n'était pas seule décisionnaire de la discrimination commise contre Frédéric Tieboyou. Ils ont estimé que la discrimination avait été commise par la commission d'attribution de logement, or celle-ci étant présidée par un élu, ce n'était pas la société Logirep qui était coupable de la discrimination, mais toute la commission d'attribution de logement dans laquelle siégeaient le représentant de la mairie, du préfet, de la CAF, de l'amicale des locataires et... la société Logirep. Comme, selon les juges, la discrimination n'était pas le fait de la société, ce n'était pas à elle d'assumer les conséquences de cette discrimination décidée par la commission d'attribution de logement. Nous démontrerons en appel que la commission est un organe agissant pour le compte de la société, que c'est la société qui doit être condamnée. [...]

Combien avez-vous gagné avec cette condamnation de Logirep pour fichage ethnique?

La peine est dérisoire, proprement dérisoire, puisqu'elle s'élève à 20 000 euros d'amende et 10 000 euros de dommages et intérêts... J'avais engagé la procédure à l'époque pour le compte de SOS Racisme puis c'est la Maison des Potes que j'ai constituée partie civile qui a fait aboutir l'affaire devant le tribunal durant les cinq dernières années. Donc ça fait deux parties civiles qui obtiennent chacune deux fois 10 000 euros plus 20 000 euros d'amende soit 40 000 euros à sortir pour Logirep je crois, il faut qu'on vérifie exactement. C'est dérisoire par rapport à ce qui est prévu dans le Code pénal et à l'ampleur de la discrimination sachant que, s'agissant d'une personne morale, on encourt cinq fois la somme qu'encourt une personne physique. [...] Une personne physique, qui commet un acte de fichage ethnique, encourt 225 000 euros d'amende, une personne morale encourt cinq fois cette somme! [...] Et on encourt ça quand on commet le maximum de l'infraction, et quand on est une entreprise qui est extrêmement riche. Les peines s'évaluent en fonction de la richesse de la personne qui commet l'infraction, de l'impact que cela va avoir sur elle – si quelqu'un est pauvre on ne va pas lui mettre un million d'euros d'amende, si quelqu'un est riche on va lui mettre un peu plus – et pour lui faire prendre conscience de la gravité de ce qu'elle fait et faire passer un message.

Or, ce qu'on a mis à jour, c'est que le fichage ethnique, confirmé par les perquisitions, était pratiqué depuis des années et des années au détriment de milliers et de milliers et de milliers de personnes! C'est un organisme qui a 50 000 locataires, ça fait 50 000 victimes de fichage ethnique! Qu'on soit fiché en tant que Blanc, en tant que Portugais d'origine, ou en tant qu'Antillais, en tant qu'Africain, en tant que Maghrébin, tout le monde est fiché ! Le nombre de victimes est considérable, et j'ai ressorti des documents des années 1980 montrant l'existence d'un fichage des gens des DOM-TOM depuis très longtemps. J'ai retrouvé tous ces documents dans leurs propres archives !

Ceux qui, dans les organismes HLM, pratiquent le fichage des gens issus des DOM-TOM, ou celui des gens d'origine maghrébine, etc., ce fichage-là ils le font afin de pratiquer une discrimination par dosages. Alors, j'ai fait condamner un autre organisme HLM, les deux seuls en France[1] ! Pour une politique d'ampleur encore supérieure à celle de Logirep : celle de l'OPAC de Saint-Étienne. L'OPAC de Saint-Étienne avait systématisé le fichage ethnique en coloriant les appartements des locataires selon leur couleur, sur des plans, pour suivre en interne le peuplement des immeubles. Appartement vert : personnes d'origine maghrébine, appartement bleu : personnes d'origine africaine, appartement jaune : personnes d'origine asiatique, appartement blanc : personnes d'origine européenne. Ils avaient systématisé le fichage de tous les locataires, de tous les demandeurs de logement, en indiquant que c'est en raison de la consonance de leur nom et prénom qu'ils ont déterminé l'origine des gens parce que, disent-ils, ça n'est pas la nationalité des gens qui compte, mais c'est bien comment ils sont perçus !

Et eux, ils avaient été très clairs, dans les documents internes connus du préfet, de la CAF, des amicales de loca-

---

1. Samuel Thomas nous précisa par la suite qu'il y avait eu un seul précédent de condamnation pour système de fichage ethnique en France en dehors des actions en justice que lui-même avait menées : en 1991, le président, M. Pascal et la chef de service de la Société centrale immobilière de la Caisse des dépôts et consignations, qui construit et attribue des logements sociaux, avaient été condamnés respectivement à 8 000 et 4 000 francs d'amende, tandis que la partie civile, une femme algérienne, avait reçue la somme, historique alors, de 50 000 francs. Cela deviendrait la « jurisprudence Pascal », mettant fin à une règle du « un pour un » (un logement d'un Français libéré, c'était un logement attribué à un Français et non à un immigré).

taires, de tout le monde ! Le raisonnement était le suivant : il y a des immeubles qui souffrent d'une vacance d'appartements, cette vacance d'appartements il faut la résorber. S'il y a des logements qu'on n'arrive pas à louer, on va faire des bons de visite. Finalement on se retrouve parfois avec 10 à 15 % de logements qui ne sont pas loués. Donc, toujours d'après l'organisme HLM, ce n'est pas parce qu'un immeuble est mal situé, ce n'est pas parce qu'il est dans un quartier où il y a des écoles qui sont mauvaises, ce n'est pas parce qu'il est dans un quartier où il y a de la délinquance, ce n'est pas parce qu'il est dans un quartier où il y a beaucoup trop d'insalubrité… Non ! C'est parce que sur les boîtes aux lettres il y a trop de noms à consonance maghrébine. Et les gens, quand ils visitent, ils vont regarder les noms sur les boîtes aux lettres et il suffit qu'ils voient trop de noms à consonance maghrébine pour que, s'ils ont le choix, ils aillent louer ailleurs. Et ils ne prendront pas l'appartement pour lequel ils ont eu le bon de visite.

Les offices HLM disent que leurs études les amènent à penser que, *grosso modo*, à plus de 7 % de noms à consonance étrangère sur les boîtes aux lettres, cela générait le phénomène de la vacance. Ils appellent cela le syndrome des boîtes aux lettres. Alors, dans tout le patrimoine de qualité dans lequel on ne veut pas de vacance, parce qu'on a dépensé de l'argent, qu'on a rénové, etc., on a envie de rentabiliser au maximum les immeubles, il faut faire très attention : il faut stopper certaines attributions dans les immeubles qui ont plus de 7 % de noms à consonance étrangère, et il faut infiltrer à dose homéopathique pour ceux qui en ont un peu et sont en dessous des 7 %. Et par contre il y a des immeubles avec 80 % de noms à consonance maghrébine, donc là c'est foutu, on y va ! De toute façon…

On y va ?

On peut mettre des gens de toutes origines, car il n'y a plus aucune limite… Dans les immeubles où ils sont plus de 30 % de toute façon ce sera impossible de revenir à des proportions « convenables » donc là on peut attribuer à des gens sans aucune discrimination ! Cet organisme je l'ai fait condamner après qu'il m'ait poursuivi en diffamation. On a fait le même jour les deux procès, j'ai été relaxé de la diffamation et je l'ai fait condamner, à tout casser, à 10 000 euros de dommages et intérêts et 20 000 euros d'amende avec sursis intégral.

Cela signifie ?

Cela signifie qu'ils n'ont rien à payer, que la sanction pénale est nulle ! Puisque le président du tribunal a dit : « Ils ont fait ça pour défendre un service public » et donc ils n'étaient pas animés par la haine raciste mais par la rentabilité. Si pour la rentabilité d'un établissement il faut pratiquer le racisme, eh bien ce n'est pas grave.

[…] Ce sont des organismes qui sont protégés par les tribunaux : quand ils mériteraient 1 500 000 euros d'amende, ils n'écopent que de 10 000 euros ou 20 000 euros avec sursis. Ils sont protégés par la justice, et ils sont protégés par les préfets, par les procureurs, puisqu'ils sont dirigés par des gens qui, dans leur carrière, ont souvent travaillé dans des cabinets ministériels, ou ont été préfets, ou maires, ou députés, ou sénateurs, ou hauts fonctionnaires. Ce sont des gens qui pensent qu'il faut contrôler la dose de Noirs et d'Arabes dans les immeubles.

2^E^ TEMPS

GRANDS TÉMOINS : PAROLE DONNÉE

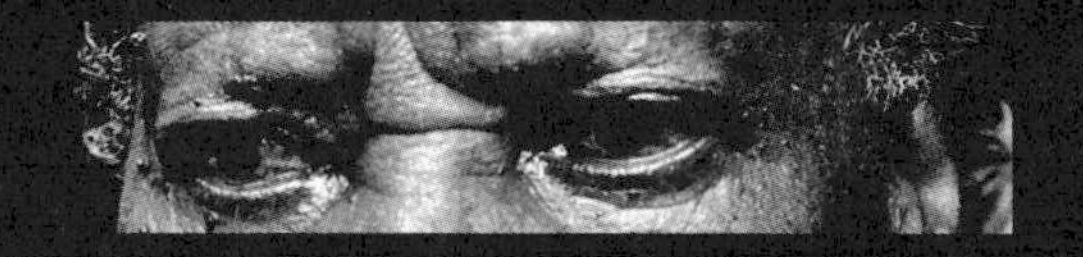

MUZIK OU BIZ,
DES BANLIEUES « ANTILLAISES »
À PARIS-CENTRE…

Je suis 200%, même 300% car tu me changes de couleur tu vois très bien c'est un céfran qu'est là : je sais planter des choux, je sais planter des bananes, je sais planter des dattes.

Erwan, 30 ans, né en Guadeloupe[1]. *Chez lui, dans le 13e arrondissement*

Jusqu'à 15 ans je suis resté à Vitry. J'ai vécu dans un quartier chaud. C'était la plaque tournante de la drogue. Quand je sortais de l'école y'a combien de pompiers dans la cage d'escalier qui ramassent des gars que tu connais qui sont morts d'overdose. T'as peur d'aller jouer au foot dans l'herbe de peur de marcher sur une seringue... Y a des clans qui se forment : les Portugais sont entre eux, les Noirs sont entre eux, les Arabes. Mais bon, ils vont dans la même école, ils se connaissent tous. Moi je rentrais pas dans leur délire, ils avaient peur de moi car moi je suis un noir et un arabe. En plus j'étais champion du Val-de-Marne en boxe anglaise, vers 14-15 ans. Je suis plus arabe quand même. J'ai mon frère qui vit en Guadeloupe, il est super danseur de Akiyo mais moi je lui dis de revenir en France, de connaître notre culture rebeu. J'ai raté toute ma scolarité à cause de ça : on partait dès mai soit en Guadeloupe, soit en Algérie. Je finissais jamais l'année, je revenais en octobre novembre.

En Guadeloupe je suis resté jusqu'à l'âge de 3 ans, puis tous les trois ans je partais cinq mois, six mois. En Algérie c'était tous les deux ans : à 4, 6 ans, 8 ans, 12 ans, 13 ans.

À 15 ans et demi je suis parti en Guadeloupe, mes parents m'ont envoyé là-bas, j'étais devenu un guerrier de Vitry, c'était l'époque des batailles dans les rues, y avait les skins, nous on les tabassait. À 15 ans tout le monde a des armes. À Vitry mes parents ils ont préféré m'envoyer

---

1. Vit en F2, en couple avec enfant ; musicien et médiateur social.

chez ma grand-mère. À Basse-Terre. Je suis resté dix ans là-bas, à Goyave, Pointe-à-Pitre… Moi je suis un musicien, j'ai des maisons partout là-bas. J'étais moniteur de plongée, j'emmenais les touristes vers la réserve Cousteau, à Bouillante. J'ai travaillé à la Scène Nationale, à Basse-Terre. Puis j'ai fait une formation en électricité et je suis parti en France, pour faire une formation en rapport avec le son.

Fin 2000, un ami m'a dit qu'il avait un appart de libre en France ; il était venu chez moi en Guadeloupe, à Basse-Terre, et il m'avait dit : « Pourquoi tu reviens pas en France ? » Un jour je me suis donc dit, « je vais aller faire un tour en France ». Quelqu'un m'a dit « avec ta basse, tu vas marcher là-bas ». En plus le billet était à 1 500 francs. Je suis donc arrivé chez le gars, à Plaisance dans le 14ᵉ, au 11ᵉ étage ! On était comme à New York. Un F2, il m'a prêté les clés, lui était chez sa copine dans un autre appart. Après ça c'est parti en vrille : la meuf a quitté le gars en plein hiver… le gars m'a dit « faut que je récupère mon appart ». Je connais des amis chanteurs, alors je suis passé de case en case deux semaines là, quatre mois là chez un parti en Guadeloupe, il m'a loué. Quand il est revenu il avait des dettes, il m'a demandé 5 000 francs par mois ! Là je suis parti, je suis rentré en galère. Ma nana est rentrée chez ses parents, dans le 16ᵉ, son père avait un logement de fonction.

J'ai dormi avec les SDF, y'a des gens d'Afrique, d'Italie, c'est pas des clochards, ils font des études ! Le matin j'allais au travail, le soir je dormais avec eux, c'était sur une péniche aménagée pour ça, pendant un mois et demi. Fallait des fiches de paie pour les foyers. J'ai eu des galères avec EMMAÜS, ils m'ont dit « y'a un gars et trois lits, il fait la loi c'est un papy », j'ai dit que je suis habitué avec les vieux gars, ils m'ont dit non… Moi je suis reparti en Guadeloupe, ma nana m'a appelé pour me dire qu'elle a trouvé un studio de 15 m^2, alors j'ai vendu mon matériel de répète que j'avais là-bas, et en un mois et demi je suis revenu en France, en 2001. On est restés là trois ans, dans le 15ᵉ, et là c'était galère l'enfant est né là-bas, c'était tout petit. On nous a proposé quai François Mauriac dans le 12e, grand standing, 800 euros, on a dit non… ça a fait toute une histoire avec la DLH[1], on leur a menti en disant qu'on l'avait « raté », parce qu'on voulait pas le prendre. On dépassait déjà la date d'expulsion… Finalement ils nous ont recontactés et nous ont proposé ici. On a pris, mais on a pas fini de chercher un endroit.

Regarde le mur extérieur, on dirait du carton, alors que tout le monde vit dans des logements modernes. C'est trop cher, 5 000 francs c'est le prix d'un pavillon ou duplex deux étages en proche banlieue. Imagine quand je fais ma musique. En plus c'est près d'un hôpital psy… Tu les vois passer ; nous-mêmes on a une détraquée, j'ai cru qu'elle allait faire sauter tout l'immeuble. Elle hurle, elle faisait flipper mon gosse. Moi c'est les voisins ils m'ont expliqué, en bas y'a un Antillais il a un resto aux Antilles : l'hiver ils restent enfermés, l'été on les lâche t'en vois partout. C'est pas bon quand t'as un enfant, tout ça c'est encore un facteur pour qu'on parte ! « J'ai peur j'ai peur » il disait l'enfant. J'ai mis un coup de poing dans sa porte, ça a résonné dans trois immeubles, elle a cru « c'est le Diable qui vient me chercher cette fois » ! Je lui ai dit après calmement que j'ai pas à supporter ça ! […]

Je suis pas 50/50. Je suis 200 %, même 300 % car tu me changes de couleur tu vois très bien c'est un céfran qu'est là : je sais planter des choux, je sais planter des bananes, je sais planter des dattes. Moi j'ai des amis antillais ils vont là-bas mais au niveau connaissance… cela dit ils naissent ici, grandissent ici, et parlent créole !

1. Direction du logement et de l'habitat.

Décryptage(s)

Dès la première prise de contact par téléphone, Erwan m'a clairement fait comprendre qu'il n'était pas quelqu'un de « facile ». Son franc-parler, en verlan souvent, toujours à la limite de « décrocher », et les nombreux tests qu'il m'a fait passer avant de se livrer, ont véritablement été une épreuve qui valait le coup d'être relevée ; car son parcours de vie, sa double voire triple culture comme il le revendique lui-même, entre une des banlieues difficiles de la région parisienne à forte présence antillaise, Vitry, puis Basse-Terre (Guadeloupe) et Alger, en faisaient à l'évidence quelqu'un qu'il ne fallait rater sous aucun prétexte. J'ai d'ailleurs dû m'y prendre à plusieurs reprises, ma culture antillaise, et aussi de banlieue, ont été des atouts évidents pour gagner sa confiance. C'est la musique qui a finalement permis de l'emporter, car comme toute personne de fort caractère, il cache derrière son armure une grande sensibilité, qu'il exprime par son métier de compositeur. La promesse de revenir avec mon violon pour enregistrer sur ses chansons, promesse que j'ai tenue, m'a valu qu'il s'ouvre petit à petit à la discussion, chose qui lors du premier rendez-vous, était loin d'être acquise.

Lors de la première visite, je fus d'entrée attiré par le mobilier intérieur impeccable, en référence directe à l'Afrique (Maghreb et Afrique noire) ; l'espace disponible était également relativement grand par rapport à d'autres situations rencontrées plus précaires (logement en hôtel), mais pour un relogement, le problème principal rencontré par le couple était le prix du loyer : de 700 euros à l'époque pour un deux-pièces, mais en loyer intermédiaire (PLI) on était loin des 600 à 650 euros en logement social payés par d'autres relogés enquêtés, en région parisienne, et bénéficiant d'une pièce de plus (F3). Les exigences du couple – moins de « fous » suicidaires autour, plus d'isolation pour faire de la musique – étaient des prétextes légitimes qu'ils avancèrent afin d'être relogés ailleurs, dans plus d'espace habitable et pour moins cher. Lors de notre première rencontre, nerveux, monsieur faisait régner un climat tendu, rembarrant sa compagne sèchement. Elle versa quelques larmes dans un coin de la pièce... Sur deux heures de présence, il ne m'accorda que quarante-cinq minutes d'entretien, à couteaux tirés, en prévenant qu'il n'en dirait pas plus. Il fallait donc revenir. « Je vais pas te raconter ma vie, j'aime pas parler de moi », me répéta-t-il lors du deuxième rendez-vous. Mais la musique – j'étais venu avec mon instrument – nous rapprocha, il m'invita à revenir pour enregistrer sur ses morceaux, ce que j'acceptai avec enthousiasme ; les langues finalement, se délièrent. La confiance s'était installée.

L'entourage professionnel d'Erwan est disparate : il est à la fois composé de jeunes Antillais venus pousser la chansonnette, mais sans réel sérieux, et d'habitués du métier, d'origine africaine, qui eux se structurent efficacement, en faisant jouer toutes les possibilités que les mondes artistiques et du marché offrent.

Erwan a grandi dans une des cités difficiles de région parisienne, à Vitry. De nombreux Antillais ont été logés dans ces grands ensembles déshumanisés, avec d'autres Français d'origine coloniale, où les gamins jouant au foot ou dans les escaliers sont confrontés très tôt à la drogue et ses drames. Il porte des dreadlocks. Assumant ses trois cultures (Algérie et Guadeloupe de par ses parents, et France métropolitaine), il considère qu'être français issu d'un tel brassage multiculturel est une richesse, à l'image – comme il me le confia en aparté – de l'équipe de France de football victorieuse au mondial de 1998. Il a cependant pâti des nombreux déplacements entre ces trois territoires, avec des conséquences sur sa scolarité, hachée. Mais avant de mettre en avant son appartenance à chacune de ces trois cultures, c'est d'abord celle de la banlieue qui s'est imposée à lui, influencé par le modèle des tribus urbaines apparues aux

USA ou en Angleterre ayant marqué la France des années quatre-vingt et en particulier la région parisienne (« zoulous » et « redskins » contre « skinheads »).

On peut dire que durant mes enquêtes, j'ai eu à chercher parfois loin pour établir le dialogue : au début Erwan me disait de ne pas l'appeler par son nom d'artiste mais par son prénom, arabe ; une autre fois, il fut plus menaçant, me disant abruptement que personne n'avait le droit de l'appeler par son prénom arabe… Je lui demandais alors comment fallait-il l'appeler, et là il me renvoya à son nom d'artiste.

Cette mise à l'épreuve passée, Erwan s'est définitivement ouvert une fois notre passion pour le rap partagée concrètement par l'enregistrement ensemble de quelques-uns de ses morceaux. Il m'est alors apparu tout le processus de professionnalisation et surtout d'intégration puis de possible ascension sociale par la création artistique de cette jeunesse d'origine coloniale issue des quartiers dits difficiles. Les Antillais récemment arrivés en Métropole côtoient chez Erwan ceux qui sont présents ici depuis plus longtemps, voire qui sont nés ici. Les chansons qu'ils interprètent et composent, en créole, par ces contacts réguliers entre deux générations de migrants, sont un moyen de préserver mais aussi de faire évoluer la langue et la culture antillaises, entre Caraïbe et Ile-de-France. La musique devient alors non seulement structurante pour ces jeunes, mais elle renforce le lien entre la culture héritée des parents, et la leur, multiculturelle, développée en banlieue. Avant d'en arriver là, parfois on s'affirme comme pour Erwan durant son adolescence, à travers l'appartenance à une bande qui passe par l'art de la baston (il me déclara avec fierté avoir été champion d'art martial et avoir tabassé du néonazi). Phénomène alors très répandu dans les familles de migrants en France, les parents ne pouvant faire face choisissent d'envoyer leur enfant « au bled », dans ce cas en Guadeloupe, chez les grands-parents, pour l'éloigner du quartier mais aussi dans l'idée de lui inculquer des valeurs plus propres à leur culture. Le choix de la Guadeloupe et non de l'Algérie a probablement été préféré par les parents compte tenu du conflit armé qui secoua ce pays durant les années 1990.

La possibilité de se loger va alors être le facteur principal pour revenir en Métropole, et le lien avec les Antilles, entre les deux rives, est déterminant pour contrecarrer ce problème du logement. En effet, après dix ans passés en Guadeloupe, le retour en « France » d'Erwan s'est fait dès qu'un ami de passage a proposé l'hébergement chez lui, à Paris... Une fois la phase d'hébergement terminée, le lien DOM/Métropole continua à fonctionner ensuite dans l'obtention d'un autre logement à Paris, par la sous-location de la part d'un ami reparti aux Antilles pour quelques mois.

À nouveau, lorsqu'il dut rendre ce dernier appartement, Erwan déclarant être alors rentré « en galère » sur Paris (SDF selon ses termes), il eut recours comme base de repli à l'option Antilles pour se loger, même pour pas longtemps : dès que la conjointe restée sur place à Paris eut trouvé un logement, il revint de Guadeloupe pour emménager avec elle sur la capitale. Et les parents et grands-parents antillais présents en Métropole ou aux Antilles sont au cœur de ce dispositif, offrant l'hébergement à chaque membre du couple, entre Paris et les DOM-TOM, en attendant que leurs jeunes trouvent à se loger ensemble en région parisienne. Entre ici et là-bas, une fois qu'un logement est obtenu en région parisienne, il connaît plusieurs modes d'occupation – sous-location, hébergement – et une fois qu'il est entre les mains d'un membre de la communauté, pas question de le perdre, encore moins au bénéfice de quelqu'un d'extérieur : en cas de nécessité il est mis à profit, redistribué, partagé dans son usage, au sein du réseau antillais constitué.

> J'ai un pote qu'a été tué dernièrement, à Sainte-Anne. Là c'est un taf qu'il me faut, le bizness c'est terminé, j'en ai marre... Dans dix minutes j'ai rendez-vous avec un pote, il a deux apparts, il est proprio. Un en banlieue, l'autre dans le 15e qu'il va me louer!

Steeve, 25 ans, né en Guadeloupe[1]. *Dans un café près de son « lieu de travail » (petit deal), aux Halles*

En Guadeloupe je vis dans une maison à étage, 6 pièces, à Sainte-Anne, en quartier. Je travaillais dans la location de voiture, j'étais mécano, chez mes parents... et je faisais un peu de bizness aussi, comme tout bon Guadeloupéen qui se respecte. De tout, de l'herbe. Elle vient de Dominique, Saint-Vincent, Sainte-Lucie. Moi j'étais au taf, je peux pas m'acheter ce que je veux alors que des potes oui, alors quand je suis rentré dans le bizness, j'avais 16 ans, j'ai pu acheter tout ce que je voulais. Je vendais en Grande-Terre. J'ai un pote qu'a été tué dernièrement, à Sainte-Anne. Là c'est un taf qu'il me faut, le bizness c'est terminé, j'en ai marre... La prison je l'ai jamais faite, j'ai pas envie de la faire.

J'allais à Zamia, Boissard, je connaissais les gars. Je me suis embrouillé avec des gens là-bas, ils voulaient pas que je deale dans leur quartier... c'est une histoire de respect! Pour progresser là-bas t'es obligé de faire du bizness, les jeunes ils veulent pas les embaucher. Ici, c'est pareil, une fois que t'es Black, c'est mort. Si je cherche dans la vente et pas la mécanique, c'est que j'ai marre de ça dans mes doigts.

Je progressais trop bien là-bas. J'ai eu les flics, ils montaient un dossier sur moi pour faire des perquisitions chez

1. Hébergé dans le 16e chez un cousin, en attente d'un F4 dans le 15e en sous-location chez un ami de son père qui sortira bientôt de prison. Vit en couple, fait du « biz » entre Métropole et Guadeloupe d'où il est parti pour se faire oublier un temps.

ma mère, ils me coursaient… alors depuis deux ans je suis en France, pour éviter la tôle.

Quand je suis arrivé, j'étais chez une cousine avec son gars, un F3 à Sarcelles. J'avais une meuf qui travaillait à Air Caraïbes, je faisais des week-ends à l'hôtel sur Basse-Terre, j'allais même pas chez moi. Je suis resté un an, et après je suis parti quand j'ai rencontré ma copine, on était à Noisy-le-Grand en sous-location pendant neuf mois : sa copine était à Vannes, en Bretagne. Un F4 à 460 euros, agence les 3F, elle elle le louait encore moins cher. Quand elle est rentrée, elle nous a foutus dehors. On loge chez un pote à moi maintenant, on est trois dans un duplex, à Passy, 16e. C'est mon cousin, on lui donne 200 euros pour participer au loyer, au total il paie 500 euros une fois qu'il a déduit les APL.

J'ai un plan pour Villiers-le-Bel, moi et ma copine. Un F2, 560 euros, près de la gare. Mon cousin – c'est un crack en informatique – il va me faire six fiches de paie falsifiées pour le dossier de demande de logement. Ma nana elle elle travaille.

Ici les flics ils font chier. Y'en a ils font rien, y'a des jeunes ils viennent draguer les meufs, on vient nous contrôler. Y en a qui restent parler avec nous, ils nous disent « ça nous dérange pas votre bizness, mais faites-le discrètement, le faites pas devant les civils, eux ils doivent faire du chiffre alors faites attention ».

Dans le parc[1] c'est les Martiniquais, aux escalators c'est des Gwada, les Guyanais ils sont plus avec nous. Dans le parc c'est plutôt les toxicos.

Des Blancs essaient de venir pour biznesser, mais ici t'es aux Halles, t'es sur le territoire des keufs. T'es pas au bled : t'es pas dans la cité ! Ici le bizness ne se fait plus comme avant, ici je vois que du shit et de l'herbe. Dès que je suis arrivé j'ai vu les keufs j'ai dit non, non, pas de biznes

1. Observations faites avant la rénovation du Forum des Halles.

Ici pour draguer c'est l'idéal. On vient passer du bon temps ici, moi je fais encore deux ans ici, je trouve un taf, je brasse des sous, et je rentre dans mon pays. J'achèterai ce que je veux : une moto ! Je viens de passer mon permis moto. Dans dix minutes j'ai rendez-vous avec un pote, il a deux apparts, il est proprio. Un en banlieue, l'autre dans le 15e qu'il va me louer. Il est en semi-liberté, il sort dans deux trois mois, il va me louer son F4, pas cher : 200 euros ! Il connaît bien mon père, c'est devenu un pote à moi.

Les cousins sont en banlieue : Sarcelles, Créteil, Montfermeil, Blanc-Mesnil, Porte d'Italie, Pantin... On s'appelle, on se donne rendez-vous sur le net, par SMS.

Ici ils me font chier pour le taf, si je retourne au bled je suis en congé sans solde donc je retravaille direct : je suis associé dans la société, elle est à mon nom et celui de ma sœur ; mes parents gèrent. Ici j'ai voulu découvrir la vie, j'ai vu comment c'est dur, alors que là-bas je taffe, j'ai ma voiture, ma moto, mon logement...

Décryptage(s)

J'ai connu Steeve en accompagnant un éducateur de rue de l'association La Clairière aux Halles, qui faisait « son tour » du quartier. Il était avec cinq autres jeunes Antillais, en haut du grand escalator menant du 3e sous-sol du trou des Halles à la surface... donc à l'endroit par où tout le monde passe obligatoirement. Cet endroit était d'ailleurs depuis une vingtaine d'années occupé par des joueurs de tambour (le « Ka ») en période de fêtes de fin d'année, mais avec la rénovation des Halles qui se précisa, la présence policière a repoussé plus loin les jeunes Ultramarins qui se regroupaient là, les uns pour dealer, les autres pour faire de la musique, ou les deux. Steeve et ses quelques « amis » étaient, lors de cette visite aux Halles, parmi les derniers encore présents à cet endroit stratégique pour dealer et draguer.

Les Halles restent un lieu de rencontre privilégié des jeunes Ultramarins, voire un lieu d'insertion pour ceux récemment arrivés en Métropole qui sauront où trouver leurs amis eux présents ici depuis plus longtemps et rejoindre leurs réseaux. Avant la rénovation du Forum des Halles, on pouvait distinguer quatre pôles investis par les Domiens :

- La « place Carrée » au 3e sous-sol, lieu de drague par excellence, et de retrouvailles entre amis.
- Près du cinéma UGC, des jeunes danseurs hip-hop s'entraînaient sur le sol idéalement propre, large et lisse, pour leurs acrobaties. Ils n'étaient pas exclusivement originaires des DOM-TOM mais plus largement issus des cités de banlieues parisiennes.
- Le haut des escalators évoqué précédemment, entre musique, drague et/ou deal.
- Le « jardin », qui était divisé comme nous le verrons plus loin, en sous-groupes de dealers ultramarins ou « africains ».
- Les ruelles souterraines du Trou des Halles, où la mobilité est plus grande, contrairement aux lieux évoqués ci-dessus, qui sont arpentées aussi par les dealers pour échapper aux contrôles de police.

Pourquoi une telle popularité des Halles, non seulement chez les Ultramarins, mais auprès de tous les jeunes de banlieue ? Tout simplement parce que Les Halles sont bel et bien le seul et unique point de connexion entre toutes les banlieues : c'est le « centre névralgique » de la banlieue qui se retrouve là au cœur de Paris, de par les lignes RER s'y interconnectant (plus de 750 000 voyageurs y transitent quotidiennement). Dès la sortie des transports, on reste en espace couvert en accédant directement à la FNAC, aux cinémas, aux magasins de sport et de vêtement, etc., sur quatre niveaux, qui ont fait la réputation du Trou des Halles. En surface, de nombreux disquaires et magasins de musique relevant du mouvement hip-hop, punk (piercing) sont aussi des points de rencontre pour la jeunesse, sans oublier les nombreux magasins de vêtements et cinémas de projections X dans la rue Saint-Denis, ou encore des boîtes de nuit ou de jazz.

Durant « le tour » du quartier, l'éducateur de rue que j'accompagnais alors me donna des éléments d'observation en termes d'appropriation de l'espace par les jeunes dealers d'Outre-Mer :

- Les Martiniquais se retrouvent vers la statue près de l'église Saint-Eustache.
- Les Guyanais sont de l'autre côté du jardin, vers les tables d'échec.
- Les Guadeloupéens à la sortie du grand escalator des Halles, vers le manège.

Et concernant le parcours de ces jeunes Ultramarins échouant aux Halles, instables et dans les DOM-TOM et en Métropole, il précisa :

> Ceux qui arrivent ici sont en rupture par rapport à leur famille là-bas. Ils peuvent difficilement se payer le retour, sauf quelques-uns pour aller se fournir surtout en cocaïne, voire en faisant les « mules »[1] : en ce moment la cocaïne semble passer pas mal par les DOM-TOM.
>
> Ici ils restent un mois chez une tante, un copain, avec le beau-père. Ça clashe et ils se retrouvent à la rue. Puis ils passent d'hébergement en nuits d'hôtel qu'ils se paient à deux entre amis. Nous à l'association on est en lien direct avec les foyers, on a un certain réseau. Mais il est de plus en plus difficile de trouver des places en foyer. D'autres Antillais dorment dehors : dans les squats, dans la rue, le train comme vers la Bibliothèque François Mitterrand où il y a un dépôt de trains.
>
> Les gens ne voulaient plus passer dans les jardins, dans les guides pour touristes il y a sûrement écrit

1. Transport de la cocaïne par avion en ingérant des sachets plastiques qui en sont remplis. La perforation de sachets peut entraîner une mort par overdose dans d'atroces souffrances. Les jeunes femmes colombiennes embauchées par les cartels sont réputées pour servir de « mules » en se rendant ainsi régulièrement aux États-Unis.

« coupe-gorge » même si ça ne l'a jamais été car les jeunes n'y ont pas intérêt. Il existe des associations de riverains qui ont organisé en juin 2004 et 2005 une fête du jardin avec les jeunes Antillais qui ont fait à manger « à l'antillaise ». Ça a fait du lien social, ça a beaucoup plu !

Une éducatrice retrouvée dans un autre local du quartier apporta également des éléments d'analyse pour mieux comprendre l'ambiance qui régnait avant l'opération de rénovation des Halles et les mesures prises pour éliminer le trafic tenu par des Domiens et des Africains, qui se redéploya :

> Les jeunes qu'on suit viennent de Garges, Gonesse, Stains, Sevran, etc. Depuis deux ans, les groupes de Martiniquais, Guadeloupéens, Guyanais, Africains ont été cassés avec le renforcement de la présence policière. Ils sont maintenant plus mobiles dans les Halles ; l'écoulement du trafic se développera plus en appartement, en banlieue.

De retour avec Steeve il nous en apprit un peu plus de l'« intérieur » sur le trafic, même s'il insista « lourdement » durant l'entretien pour dire qu'il ne trafiquait plus ici en Métropole alors qu'il ne chercha pas à le cacher lorsqu'il évoqua ses activités en Guadeloupe. Il en arrivait cependant à se contredire puisqu'il me parlait des descentes policières l'incitant lui et ses « amis » à ne pas faire de bizness ici, aux Halles. Il a tout l'accoutrement du flambeur : grosses bagues et chaîne en or apparentes. On peut comprendre évidemment qu'il ne soit pas prolixe sur son activité, d'autant qu'il s'adresse finalement assez librement à ma personne alors qu'il ne me connaît pas, et que j'ai été présenté par un éducateur de rue entretenant, inévitablement, des liens avec la police du secteur. Avoir été présenté par cet éducateur est cependant aussi un gage de confiance pour lui, limitant les « risques » que je sois là pour lui nuire. Il a fallu aller chercher Steeve dans ses retranchements, ma connaissance du bizness en Guadeloupe et l'approche des dealers en particulier, m'ayant été utiles pour l'amener à se livrer un peu, tout en prenant toujours soin de ne pas l'entraîner sur un terrain trop délicat pouvant le compromettre.

Steeve est un cas particulièrement intéressant et représentatif : il est le cas typique de ces jeunes délinquants, instables entre Paris et les Antilles et qui, par la mobilité, tentent d'échapper aux poursuites qui les menacent dans ces deux destinations. Il l'a explicité très clairement durant l'entretien : il est venu « en France, pour éviter la tôle », car son trafic devenant de plus en plus fructueux et visible aux Antilles, il était sur le point de s'y faire coincer par la police. Après avoir gravi les échelons du bizness en Guadeloupe, et s'être donc fait ficher, il est venu se faire oublier en Métropole un temps, où il a néanmoins repris du service.

Depuis qu'il est arrivé seul en Métropole, il est passé d'hébergements en sous-locations grâce à son réseau familial et d'amis ou celui de sa copine, entre banlieue « antillaise » (Sarcelles) et arrondissements de Paris bien lotis (15e). Il penche pour plus de stabilité dans la légalité tant par l'emploi (« Là c'est un taf qu'il me faut, le bizness, c'est terminé, j'en ai marre… ») que par le logement (il postule pour un logement en banlieue), mais dans les deux cas, il reste lié à l'illégalité :

- un récent voyage a été évoqué entre lui et ses amis dealers, en Guadeloupe et Martinique, probablement pour se ravitailler ;
- un cousin qui est lui dans la légalité, presque un « modèle » (étudiant ingénieur en informatique), n'hésite pas à jouer la solidarité familiale par sa technicité en falsifiant des fiches de paie pour l'aider à constituer un dossier de demande de logement.

DES « CAS SOCIAUX » MAIS SOCIALISÉS, AU CŒUR DU BELLEVILLE MULTICULTUREL

Tout ce que je vois c'est sortir d'ici. Un soir j'ai cassé la clé à l'intérieur, ils n'avaient même pas le double à me donner en bas, j'étais bloqué. J'ai été obligé de passer par la fenêtre, par l'extérieur, chez une copine à côté!

Patrick, 45 ans, né à la Martinique[1]. *Dans sa chambre d'hôtel, au fond d'une impasse insalubre, Belleville*

En 1997 je suis venu pour les soins pour mon œil. J'avais une chambre à Ménilmontant, plus petite qu'ici. J'ai perdu mon œil en 94, en posant des carreaux chez moi, en Martinique. J'étais maçon, plombier, je faisais tout... Avec l'acide, j'ai frotté mes yeux, j'ai rincé le gauche très fort, mais pas assez le droit. Je l'ai perdu. J'ai déjà fait sept opérations – Hôtel Dieu, Salpêtrière, Quinze-Vingt – et là on va me remettre à niveau avec le gauche. Je suis allé chez un cousin à moi qui habite Porte des Lilas, puis je suis retourné en Martinique rassembler mes bagages, et je suis rentré dans l'hôtel N. Mon assistante sociale du 20e était venue me voir. Je suis ici depuis six ans. Chaque année on m'écrit pour m'envoyer des chocolats à la mairie, mais ce que je veux c'est un logement. J'ai trouvé une femme, une belle femme, mais elle m'a dit: «Quand t'auras un logement»! Avant y avait un bidet, une femme pouvait pisser là, mais ils l'ont enlevé. Pour faire monter les gens ils veulent pas mais moi je suis là depuis six ans, le loyer est monté à 600 euros, en août l'année dernière, d'un coup alors qu'on était à 450, alors moi j'ai dit «je rentre pas dans ça, je fais monter qui je veux.» Je peux recevoir une femme ici, mais quelle femme va vouloir rester dans un endroit pareil?

---

1. Loge chez un marchand de sommeil, dans une chambre d'hôtel d'à peine 9 m^2. Père d'un enfant vivant en Martinique avec la mère. Borgne. Patrick est intérimaire en associations pour des missions intermédiaires.

Aux Antilles on a une maison et on fait rentrer la femme dedans. Mais si tu vas loger chez ta femme et qu'il y a un problème, si c'est pour qu'elle te foute dehors ?! Ici j'avais une femme de Guadeloupe… si c'est pour lui donner un ti coup OK, mais ne jamais faire en sorte qu'on porte le linge chez elle ! Car après tu quittes le logement, et si après elle te fout dehors… J'ai réfléchi, et je lui ai dit non, je vais pas chez elle.

Regarde, j'ai pas d'armoire. On m'a passé de la chambre 8 à la 11 car l'assistante sociale est venue et au 8 le toit était fendu, l'eau tombait dans la chambre. La douche au premier marche toujours pas, on se douche au deuxième étage. On a tous porté plainte, alors ils ont refait les chambres sous la pression de l'assistante sociale. Des clients ont fait des photos, moi je me suis pas mis là-dedans car je veux rester là…

Des fois ils coupent l'électricité à 9 heures le soir, on gueule alors ils remettent. Car ici il y a trop de gens qui branchent leurs appareils.

Mon père est mort d'un cancer aux poumons, mon frère qui était sous dialyse est mort en 2001, il me reste que ma mère, au Prêcheur. Mon neveu, il est à Montpellier avec sa mère. Mon fils, il vit à Macouba[1], chez sa mère. J'ai regardé pour voir si je pouvais le mettre sur ma mutuelle, avec la CMU, mais ils me demandent 280 euros, c'est trop cher ! Je lui envoie des jeans, des baskets. Ici je vais travailler à la rue Crimée, pour les handicapés, une heure par jour. Tout ce que je vois c'est sortir d'ici. Un soir j'ai cassé la clé à l'intérieur, ils n'avaient même pas le double à me donner en bas, j'étais bloqué. J'ai été obligé de passer par la fenêtre, par l'extérieur, chez une copine à côté ! Y a la voisine, une Africaine, leur nourriture est beaucoup plus forte que la nôtre. J'achète du Brise Cerise, c'est super ce parfum. Depuis que c'est le week-end ils mettent leur musique à fond, de la bonne musique africaine, mais à 10 heures le

1. Le Prêcheur et Macouba, communes de Martinique.

soir, en semaine, tout le monde baisse, car il y a des gens qui travaillent le lendemain. Leur mari vient, il paie pour sa place… moi je faisais pareil avec ma copine. Il y a aussi des Tunisiens, des Blancs, c'est mélangé. Moi je préfère rester dans mon coin. Sinon je vais sur Belleville, j'ai ma copine, une fille de Martinique. Je vais le dimanche manger chez elle, elle vient ici… Elle a trois ans de plus que moi. Elle a trouvé un logement par la mairie, sa demande a été acceptée. Je l'ai rencontrée ici, je lui ai dit telle famille telle famille, elle m'a dit qu'elle connaît ma famille…

Décryptage(s)

Lors de notre prise de rendez-vous téléphonique, Patrick me précisa que je pourrais monter dans sa chambre, alors qu'en général ce n'est pas permis aux personnes extérieures à l'hôtel. Son assistante sociale m'avait informé qu'il avait de gros problèmes à l'œil ; des difficultés à retrouver un logement digne en dépit de son cas prioritaire à cause de son handicap et malgré toutes les démarches engagées. Enfin, plus d'une fois il aurait manifesté des sautes d'humeur qui avaient nécessité qu'elle le ramène à la raison en haussant le ton.

J'étais prévenu ; le métro m'emmène à Belleville, belle ville mienne dans laquelle j'aimais déambuler depuis mon adolescence après chaque visite, parfois de plusieurs jours, auprès de mes cousins, de mon oncle et ma tante qui me laissaient les clés de leur appartement (j'étais un peu leur quatrième fils). Je quitte la rame, j'emprunte l'escalator, la lumière du dehors me sort de mes pensées.

La ruelle en impasse dans laquelle je m'engageais est digne des coursives insalubres du 19e siècle, la plupart des logements sont murés, un vrai cloaque ! À n'en pas douter, nous sommes chez des marchands de sommeil. Dès mon arrivée dans le hall d'entrée, le réceptionniste semblait m'attendre avec inquiétude. Il appela sur-le-champ Patrick, en lui disant qu'il me faisait monter. Une fois dans la chambre, Patrick me dit qu'un des fils que j'ai vu en bas, et le père, ont peur de la police, des enquêtes… Il leur a expliqué que je travaille avec son assistante sociale.

Je m'assois sur le lit, au milieu des cartons et des vêtements entassés dessus. Une plaque chauffante aux fils dénudés repose sur un petit frigo que Patrick me dit avec fierté avoir acheté 50 euros. Il me sort alors une boîte à chaussure avec tous ses papiers, et au fur et à mesure de la conversation, il aura à cœur de me prouver systématiquement la véracité de ses propos en me donnant les factures des hôtels où il a vécu, celle des jeans et baskets envoyés à son fils ou de sa mutuelle à laquelle il souhaitait l'inscrire, sa carte d'identité mentionnant sa commune de provenance, la coupure de presse dans le France-Antilles évoquant la disparition de son frère, etc. Il me le dit lui-même : « J'aime bien montrer la preuve aux gens ! » Tout est extrêmement bien rangé dans le peu d'espace disponible, pas plus de 9 m^2, dans des cartons ; il se plaint de ne pas avoir d'armoire (il y a une penderie). Sa prothèse oculaire remplaçant l'œil droit est plutôt bien faite, mais elle nécessite encore d'être reprise ; une balafre suit la ligne de la mâchoire sur toute sa joue gauche – une bagarre qui avait mal tourné.

Après la discussion, nous quittons ensemble l'hôtel. Alors que je pensais en avoir fini avec nos échanges, il me mit dans la confidence spontanément, après être repassés par la réception… la confiance s'était installée, il allait dès lors pouvoir rentrer davantage dans le vif du sujet :

> Lui, c'est le grand frère, il est super-strict. Son petit frère est plus cool, mais lui, il interdit les femmes africaines de faire monter quelqu'un dans leur chambre. Moi comme je suis là depuis longtemps ils savent qu'à la fin du mois ils ont leur argent, je suis tombé sur lui plusieurs fois, et il m'autorise. Quand ils ont mis mes affaires dans le dépôt pour me changer de chambre, ma télé et un beau blouson en cuir ont disparu. J'ai dit je

vais aller voir la police, ils m'ont dit non non !... ils ont peur de la police, alors ils m'ont acheté une nouvelle télé.

La télé était en effet gardée soigneusement par Patrick sous du linge dans un coin de sa pièce, alors qu'une plus petite qu'il s'était certainement procurée entre-temps, était, elle, utilisée. Le vol semble être une de ses craintes premières, puisqu'on lui avait déjà dérobé son chéquier, dans sa chambre.

Dans la rue, nous passons devant une coiffeuse, « une Arabe chez qui je vais me faire couper le soir, il y a moins de monde. » Monsieur s'est mis sur son trente-et-un, béret rouge et lunettes noires. Il me montre sa ceinture cloutée, héritée de l'armée ; en plus de sa grosse boucle d'oreille et de ses chaînes en or imposantes autour du cou, avec sa balafre, ses bras de camionneur et son ventre rebondi, on peut dire qu'il ne paie pas de mine ! Arrivés rue du Temple, sous un porche « la Cour de Grâce », une jeune femme africaine embrasse des hommes qui passent. Il me demande : « Tu aimes leur donner des bons coups aux prostituées ? »

Il me propose d'aller prendre un café : je l'invite au coup à boire. Nous entrons dans un bar, tenu par une femme d'origine algérienne. Il me présente à elle en créole ; elle comprend. Je lui demande pourquoi, elle me répond que c'est à force d'entendre parler cette langue. Un ami martiniquais de Patrick se trouve assis là, au milieu de la clientèle masculine majoritairement maghrébine. Cet ami me demande si je ne suis pas de la famille B. Une femme, une Française d'origine non coloniale, une métropolitaine, âgée de 45-50 ans, est accoudée au comptoir. Il me prévient : « elle, je la connais, mais elle aime l'argent. » Dix secondes après, elle lui demande de lui offrir un verre. « Tu vois ce que je t'avais dit ? »

Après le café, que j'offre également à son comparse, nous ressortons. Il croise une « Blanche » habillée en haut léopard, il me dit la connaître aussi, et qu'il parle également avec « une autre Blanche », battue par son mari, avec laquelle ils passent des heures, assis, à discuter tranquillement. Il me lâche : « je vais lui donner, un de ces jours »…

Malgré l'enthousiasme manifeste que ma personne lui inspire, ce roc effrité est à deux doigts du précipice. Croupissant dans un hôtel insalubre d'un autre âge, prioritaire parmi les prioritaires en matière de relogement, son état de santé est très préoccupant avec des conséquences directes sur son état psychologique. Faudra-t-il attendre un drame, qu'il tombe par la fenêtre pour pouvoir sortir de chez lui comme il a déjà dû le faire ? Qu'il s'en prenne à lui-même ou à quelqu'un d'autre physiquement, excédé dans si peu d'espace ? Voire que l'un des nombreux immeubles murés mitoyens sinon directement cet hôtel de marchands de sommeil (les installations électriques bricolées qui s'y battent en duel sont à haut risque), ne prenne feu comme cela s'est dramatiquement produit à plusieurs reprises sur la capitale, ce qui dans une impasse étroite, peut très vite avoir des conséquences déplorables ?

Le stress de l'hôtelier – en attendant ma venue – en dit long sur ce qu'il a à se reprocher. La police évoquée par Patrick et les services sociaux de la Ville sont particulièrement craints par ces marchands de sommeil qui en effet n'hésitent pas à augmenter les loyers du tiers du jour au lendemain (Patrick est passé de 450 à 600 euros durant l'été 2004), prétextant cyniquement que ces hausses serviraient à payer les travaux d'amélioration pour répondre aux désirs des occupants se plaignant du mauvais état de leur résidence. Bloqués là faute de mieux, les occupants sont donc comme pris en otage par certains hôteliers qui non seulement ne remplissent pas les normes de sécurité, mais qui plus est, leur font subir au quotidien des brimades à répétition : électricité coupée, douches non opérationnelles à chaque étage, vols faute de surveillance appropriée dans les chambres et les pièces servant de dépôt, etc.

La patience, la bonhomie de Patrick, son dynamisme, sa rigueur et sa grande faculté d'intégration au quartier, lui ont permis de survivre dans ces conditions peu enviables. Son intégration à Belleville est impressionnante : il connaît et fréquente toutes les communautés. Mais peut-être est-ce aussi une caractéristique de ce quartier ! Témoin la tenancière du bar où nous nous sommes rendus, qui comprenait parfaitement le créole, à force d'entendre parler cette langue, comme elle me l'affirma. En tout cas, Patrick fonctionne tout comme son comparse rencontré dans un bar, « à l'antillaise », la première chose qu'ils m'aient demandé étant de savoir de quelle famille j'étais, aux Antilles. C'est également après avoir vérifié qu'il avait des liens de connaissance passant par telle et telle famille, qu'il me révéla avoir rencontré sa compagne actuelle. Il va « manger chez elle » le dimanche, et s'en retourne dans ses appartements… comme de nombreux hommes peuvent le faire au pays, sans franchir le pas de s'installer chez leur partenaire.

Patrick passe en tout cas le plus clair de son temps à l'extérieur, il salue dans la rue les femmes de toutes origines confondues qu'il connaît et même celles qu'il ne connaît pas, mais les amitiés masculines qu'il entretient, même dans un bar rempli de Maghrébins, semblent exclusivement antillaises. Et ses compagnes successives « attitrées » sont également des Antilles (Guadeloupe puis Martinique, comme il me l'a mentionné). Sa libido pleinement exprimée et son côté extraverti le portent vers « toutes » les femmes, des Africaines dont certaines font le trottoir, ou des « Blanches » croisées dans la rue ou dans les bars, qui pratiquent pour certaines d'entre elles une forme de prostitution plus discrète. Les femmes maghrébines de son entourage semblent quant à elles fréquentées uniquement dans un rapport de clientèle : la coiffeuse d'en bas, ou la tenancière du bar rue du Temple. Et plus largement, cette relation interculturelle avec la communauté maghrébine obéit d'abord à des rapports marchands, comme c'est le cas pour son logement : l'hôtel dans lequel il tente de survivre est en effet également tenu par un Algérien et ses deux fils.

Je m'entends aussi très bien avec ma voisine de palier. Je lui donne du boudin à Noël, elle quand elle revient de la campagne elle m'amène des fruits... avec les enfants africains dans le quartier, je m'entends pas : ils sont mal élevés, disent « je vais te mmh... »

Murielle, 30 ans, née à la Martinique[1]. *Vers le métro Pyrénées, dans le 20e*

J'ai été élevée par ma tante à partir de 6 ans, à Schœlcher. On vivait à Ozanam, dans la cité, puis elle s'est séparée ; on a alors vécu dans une grande baraque de sept pièces. À 18 ans j'ai eu mon premier logement à Ducos, puis j'ai eu ma fille.

Je suis arrivée enceinte en décembre 1998 en France avec ma fille et le père de mon fils. En arrivant j'avais réussi l'écrit pour rentrer dans la police, j'étais venue pour ça. Mais une fois dans l'école de police mon fils est tombé gravement malade ; j'ai fait ma dépression, je n'ai pas eu l'examen final. Mes deux plus grands ont failli mourir, mon fils il s'étouffait, il a fait six mois à l'hôpital. J'habitais dans le 10e, j'avais trouvé par annonce : un studio, pour un an, pas loin d'ici. Je suis rentrée aussi à l'hôpital pour dépression car le père de mon fils a frappé ma fille ; on s'est séparés. Je suis ensuite allée à l'hôtel, dans le 17e. Puis dans le 92, un an à Nanterre, chez une très bonne copine à moi, c'est elle qui m'a remonté le moral. C'était dans une cité, on se connaissait depuis les Antilles, ses parents ont gardé ma plus grande fille. C'était un logement étudiant, normalement j'avais pas le droit mais comme j'étais discrète et que le gardien était assez cool... et vu que moi le boulot que j'avais je partais à 5 heures du matin pour bosser à l'aéro-

1. Vit dans un F3 duplex en logement social depuis 2002 dans le 20e, grâce à l'appui du CMAI, avec ses quatre enfants. A été suivie pour alcoolisme et dépression. A connu la rue. Bénéficie de l'allocation parents isolés ; en recherche d'emploi.

port ! Tout ça pendant six mois. Les deux enfants étaient placés. Ensuite j'ai rencontré le père de ma deuxième fille. J'ai travaillé en intérim, j'ai fait plusieurs formations, assistante de direction, auxiliaire de vie… j'ai travaillé dans le 13e, dans une maison de retraite. Quand j'ai eu ma fille, j'ai arrêté de travailler, pour l'élever ; le père de ma fille m'a pas mal aidé, jusqu'à maintenant on est en contact. Les pères de mes enfants sont tous de la Martinique. Si c'est pour sortir avec un Algérien qu'il me kidnappe et m'emmène dans son pays, ou mes enfants ? ! Y a trop de choses qui se passent. Déjà qu'avec le père de mon fils ça s'était mal passé, avec le père de ma deuxième fille il m'a emmené chez lui mais il avait ses enfants, il était encore lié à leur mère. Quand il pouvait pas m'héberger il me payait l'hôtel. Quand j'ai eu ma fille, je me suis mise à boire, je n'arrivais pas à parler […] il m'a pas mal soutenu pour ça et m'a même trouvé un logement à Mairie des Lilas : un grand studio, c'est lui qui payait.

Ma fille a toujours vécu avec moi alors que les deux aînés étaient placés. J'ai changé de juge, puis j'ai eu droit aux vacances avec eux, et je les ai emmenés aux Antilles. Je suis pas partie avec eux car j'ai eu mon dernier, ils sont partis en voyage organisé. Ils ont pas vu ma famille, certains étaient en vacances au Venezuela, ma grand-mère est malade régulièrement suite à un accident.

C'est ma grand-mère qui m'a sauvée la vie : quand j'étais toute petite les plus grands sont tombés sur moi j'ai failli être étouffée. Ma mère s'occupait pas de moi, elle m'a fait des atrocités aux pieds, aux mains… je lui en veux pas c'est ma mère, mais ça m'a laissé des traces pour la vie. J'ai été brûlée avec de l'huile chaude, à 6 ans j'ai été récupérée par ma tante pour ça.

Je connais pas mon père c'est pour ça je lui en veux encore quatre fois plus, j'avais 4 ans quand j'ai été brûlée, je m'en souviens. La seule chose que je sais c'est que mon père fait partie de la race des coolies[1], c'est ma grand-mère qui me l'a dit mais elle a dit que c'est pas à elle de me dire qui c'est, c'est à ma mère de le dire. Moi mes enfants ont le nom de leur père, sauf un ; je veux qu'ils connaissent leur père parce que sinon si à 30 ans ils connaissent pas leur père, c'est dur ! Moi je veux plus sortir avec quelqu'un de 30 ans ou 40 qui veut que je lui fasse à manger, il dort, il part, il va courir les femmes, il fait un gosse et puis il s'en va. Ça m'intéresse pas ! Je pense que je serais pas là si j'avais connu mon père… J'ai eu beaucoup de problèmes avec le père de mon dernier, qui vient de naître. Il est dans l'alcool ! Il se préoccupait pas de moi quand j'étais enceinte. Leur garçon est dans la même classe que ma fille. Il est mélangé avec une grand-mère antillaise, il a vécu là-bas, et il a d'autres parents du Maroc et de la Tunisie. Avec eux je m'entends super-bien, ils récupèrent ma fille, ou je récupère leur fils après l'école… Je m'entends aussi très bien avec ma voisine de palier : quand elle part en vacances elle me prévient, moi aussi. Je lui donne du boudin à Noël, elle quand elle revient de la campagne elle m'amène des fruits… elle a une maison en province. Et il y a une autre Française aussi… Par contre avec les enfants africains dans le quartier, je m'entends pas : ils sont mal élevés, ils répondent aux grandes personnes, disent

1. Les Coolies, terme d'origine anglo-saxonne, désigne en Guadeloupe et Martinique les travailleurs de l'Inde arrivés aux lendemains de l'abolition de l'esclavage (1848). Beaucoup furent trompés par les Européens leur ayant fait croire qu'ils pourraient repartir rapidement vers leur pays d'origine après quelques années passées aux Antilles. Ils furent exploités pour réaliser les tâches agricoles les plus pénibles, dont les Noirs désormais libres ne souhaitaient plus entendre parler pour la plupart. Leurs conditions de travail, sous couvert du salariat, étaient comparables à de l'esclavage : parqués dans les anciennes cases à esclaves, rongés par les maladies et les mauvais traitements, nombre de ces migrants choisirent d'interrompre leurs souffrances par le suicide, quand bien même les anciens esclavagistes ne décidaient pas purement et simplement d'assassiner les plus récalcitrants, pour l'exemple. Ceux qu'on appelait les travailleurs "engagés", pour une période limitée, vécurent un calvaire, les termes du contrat qu'ils avaient signés avant leur départ d'Inde, n'ayant pas été respectés. Certains réussirent cependant à s'élever socialement, en rachetant des lopins de terre puis du cheptel, jusqu'à devenir prospères.

« je vais te mmh… ». Ils s'assoient sur les voitures garées là, le soir ça parle beaucoup, ils jouent au ballon contre les grilles.

Le changement se fait pas assez vite. Ma maison est devenue trop petite pour moi, j'ai plein de cafards, mon fils attrape des plaques lorsqu'il touche ces bêtes-là. Ma fille fait des boutons et du pus, après c'est médicament sur médicament. Une société m'a demandé 80 euros pour traiter ça, mais c'est trop cher je l'ai pas fait. Ma voisine en a pas du tout, c'est peut-être les apparts du haut. Je voudrais une pièce pour chaque enfant : 5 pièces. Moi je veux rester sur le 20e car tout est à proximité, si je vais dans le 92 je serai perdue, y'a plus de métro y'a plus de train, ici on va à la Foire du Trône on revient… Au marché qui va de Ménilmontant à Colonel Fabien, j'achète mon poisson le vendredi, car il est plus frais ce jour-là. Le samedi, je vais à Château Rouge pour acheter ma viande, y'a plein d'Africains… et y'a toujours la police, partout. C'est moins cher, là y'a plein d'Antillais qui vont faire leurs courses aussi.

Décryptage(s)

Au premier coup d'œil, Murielle apparaît extrêmement fragile, à fleur de peau, sous haute tension. Elle me reçoit dans la salle à manger, duplex en rez-de-chaussée. De nombreux pans du lino et du papier peint sont arrachés. Elle est très angoissée par ma présence : elle m'avait posé un premier lapin alors que je m'étais rendu à son domicile, sans donner aucune explication… elle donna suite après quelques coups de téléphone, où elle décrocha enfin à la place de sa fille. La confiance avec sa voisine de palier (deux logements en rez-de-chaussée avec petite entrée commune dans un renfoncement) fait qu'elle ouvre sa porte sans s'inquiéter, alors qu'elle reste hostile au passage dans la rue (enfants « africains mal élevés » jouant devant chez elle, comme elle le déclare).

Elle est très méfiante donc de l'« extérieur », mais a su se créer un réseau de voisinage basé sur l'entraide. Murielle fait l'impasse sur « la rue » qu'elle a connue selon l'assistante sociale.

Après notre première rencontre, nous avions programmé de nous revoir, notamment pour rencontrer ses voisins d'origine maghrébine et antillaise. Elle a finalement annulé, pour les mêmes raisons invoquées lors du premier rendez-vous raté : la santé des enfants, « qui passe avant tout ». Je n'insisterai pas : elle n'a récupéré grâce à l'appui de l'assistante sociale ses enfants au complet que depuis peu, ses aînés ayant été jusque-là placés ; elle a besoin d'un peu de tranquillité, pour repartir enfin dans la vie.

Cette vie, qui avait si mal commencé. Murielle a été abandonnée par ses parents biologiques : pire, ils lui ont laissé des séquelles physiques et morales qui ont marqué profondément son parcours, comme elle-même le signale. Avec l'absence du père et aussi celle de la mère, la « matrifocalité » (mère au centre de la maisonnée, absence du père) a tout de même fonctionné : la tante et la grand-mère du côté maternel ont élevé Murielle, sans la mère. Les pères successifs de ses enfants, hormis un sur quatre, n'ont été qu'à l'image de ce qu'elle a vécu durant sa plus tendre enfance : violence sur les enfants, alcool, abandon.

Arrivée en Métropole fin 1998 avec un projet de vie guidé par sa réussite à un premier examen d'entrée dans la fonction publique (police), elle a très vite sombré par un triste enchaînement de mauvaises circonstances : violence conjugale (le père de son fils frappait sa fille), fils malade, dépression… Elle sera alors prise dans un engrenage terrible : dépression, titularisation dans la police non obtenue, puis décrochage très net à la naissance de sa fille ; elle sombrera dans l'alcoolisme, la rue, jusqu'à être séparée de ses aînés placés. Pour ne pas, elle aussi, « abandonner » ses enfants, comme sa mère le fit avec elle, elle s'est battue pour les récupérer. Mais ce combat, elle ne l'a pas mené seule.

Les quelques réseaux constitués depuis la Martinique pour l'hébergement et le « moral » vont la soutenir ; la question inattendue de l'hébergement officieux en logement étudiant est également soulevée par son parcours, le relationnel et la discrétion (ici avec le gardien des logements étudiants et avec une amie étudiante, avec départ tôt le matin et retour tard le soir) permettant de pallier parfois au manque d'offre de logements, criant en région parisienne, en faisant fi du règlement intérieur. Le travail des assistantes sociales (aide à l'enfance et CMAI) fera le reste, mais sur le long terme. Comme l'a déclaré l'assistante sociale du CMAI, le problème est à prendre dans sa globalité social-logement. Quand on se penche sur la vie de Murielle, on peut constater en effet que le problème de recherche de logement a été absolument lié à celui de sa reconstruction psychologique et sociale. Et en retour avec un logement, elle a pu récupérer ses enfants peu avant notre entretien, ce qui lui permit de reprendre déjà un peu le dessus.

Le parcours de Murielle passée par la rue est celui que rencontrent de nombreux jeunes Antillais tout juste arrivés des DOM, qui pour diverses raisons liées à leur arrivée « manquée », perdent pied rapidement, les cas les plus visibles, comme me l'ont confirmé de nombreux travailleurs sociaux étant observables dans certains secteurs des Halles, principalement des hommes victimes de la drogue et de l'alcool, les autres cas étant plus discrets mais aussi plus répandus, surtout des femmes comme Murielle, souvent avec enfants.

Maintenant qu'elle a pu refaire surface, Murielle souhaite quitter son logement pour les raisons suivantes : problème d'hygiène (cafards provenant selon elle de chez les voisins du dessus), vie en rez-de-chaussée avec l'inconvénient des enfants du quartier provoquant des nuisances sonores, manque de place avec le retour de ses aînés à sa charge… Mais parallèlement, cette vie au niveau du sol l'a amenée à s'organiser avec ses voisins de palier, pour parer au vol (ils se préviennent en cas de départ en vacances de l'un ou de l'autre), et s'entraider (échange de nourriture, garde d'enfants). L'intégration au Belleville « multiculturel » est là très forte, comme chez d'autres personnes enquêtées vivant dans le quartier : toutes les communautés se côtoient (madame s'est liée d'amitié avec des voisines françaises souvent métissées Maghreb/Antilles) et même si elle a une dent contre les Africains du secteur, cela ne l'empêche en rien de se retrouver avec eux et d'autres Antillais vers la Goutte d'or, pour acheter sa viande. Elle achète son poisson plus prêt de chez elle, au marché situé entre Ménilmontant et Colonel Fabien.

Elle ne souhaite donc en aucun cas être relogée ailleurs que dans le 20e, où elle a pu constituer un solide réseau relationnel qui s'étend de son quartier vers toute la partie nord-est de Paris.

S'AIMER À MORT… ET SE RECONSTRUIRE ?
ET SI EN PLUS, LES ESPRITS S'EN MÊLENT !

Il m'a traitée de pute, de mère indigne. Ils m'ont menacée, ils m'ont dit que les Arabes vont me régler mon compte. Il aurait pu comprendre que j'ai été violée, que c'est pas facile...

Darlène, 50 ans, née à la Martinique[1]. *Chez elle*

Je vivais chez ma mère à [X, en Martinique]. À 18 ans j'ai eu mon premier enfant. Je suis partie vivre à [Y, quartier difficile de Fort-de-France], dans une maison vétuste en bois, avec une grande pièce. On louait, c'était la maison de la tante à monsieur. Il y avait déjà l'esprit de délinquants, des voisins qui tiraient derrière nous, de la sorcellerie... Puis ça a dégénéré entre nous, les parents voulaient pas de moi, ils voulaient que monsieur rentre en France pour trouver une femme blanche. Dès qu'il a reconnu mon fils, le dernier, ça a dégénéré. Mon premier c'est un viol, c'était un homme marié, un homme du quartier, ma mère voulait le foutre devant un tribunal mais à l'époque c'était pas comme maintenant... Mon compagnon avait reconnu mon premier enfant qui est issu de ce viol. Ses parents lui ont monté la tête, il m'a demandé ses deux qui étaient à lui. Il a pris ses enfants chez sa mère, j'ai été les réclamer et il m'a chassée de chez eux. Je suis partie chercher mes affaires à [X], il avait tout barricadé. J'y suis allée en son absence, car il aurait pu me tuer. Je suis allée chez sa mère et il est venu un soir, il a attrapé mon aîné, il l'a amené dans la chambre il a bu du Rubigine, un produit pour enlever la rouille. Devant l'enfant ! Ça l'a traumatisé. Il avait caché ça sous son tee-shirt. Le pauvre, il hurlait ; il est mort à l'hôpital. On a dû changer les sièges de la voiture, ça avait fait un gros trou !

---

1. Relogée en logement social F2 avec l'appui du CMAI. Ses enfants, de pères différents, ont pour la moitié d'entre eux été victimes de viol, comme elle. Fait de l'aide à domicile ; vient de retrouver des employeurs.

Je suis partie un an après en Métropole, chez un ami à moi. Ils ont monté encore les enfants contre moi, jusqu'à maintenant, pour eux je les ai abandonnés, je suis une mère indigne. J'aurais dû l'écouter je leur dis, j'aurais dû me faire étrangler et ils seraient orphelins… Ils disent je l'ai tué, la mère a demandé de faire une autopsie. Jusqu'à ma mort je porterai ça.

Je suis arrivée à [Z, banlieue au sud de Paris], en HLM. […] avec lui j'ai eu ma fille. […] Ça n'allait pas je l'ai quitté. Il avait une manie de *quimbois*[1] : il m'a envoyée voir un Africain, il m'a fait de l'envoûtement pour que je l'aime, ils allumaient des bougies, des trucs de ce genre avec ses sœurs, elles vivaient là. Il était l'aîné, c'était chez lui mais c'est elles qui voulaient décider pour lui. Elles sont parties les unes après les autres quand je me suis installée avec lui. J'ai réaménagé avec quelqu'un d'autre. Mais lui il voulait pas rester là, il était livreur-chauffeur. Il trouvait que les gens étaient trop racistes, il supportait pas qu'on l'appelle « boule-de-neige ». Une fois il a pris un crochet où on accroche les porcs, il a voulu accrocher un commerçant comme un porc dessus.

Là en […] on est retournés en Martinique. D'abord chez ma sœur. Puis ça s'est mal passé comme elle est évangéliste, ils voulaient me convertir ; on est allés vivre chez les parents de mon compagnon. Puis on a vécu dans une maison chez mon père après sa mort avec ma fille, mais mon frère a dit qu'il fallait que je parte de la maison, comme j'avais une sœur au dessous ça n'allait pas avec elle. Je me suis séparée en […], il me battait lui aussi, j'ai pas eu de chance avec les hommes. Mon fils aîné est

1. *Quimbois* ou *kenbwa* (« tiens le bois ») : Pratique magico-religieuse dont le but en général est de nuire à autrui. Un *quimbois* peut être réalisé par l'intermédiaire d'un objet ou paquet qu'on pourra disposer à un endroit stratégique, de passage. En Guadeloupe, il y a une vingtaine d'années, j'avais ainsi pu constater qu'un sachet en plastique contenant une bouteille de rhum et une poule morte, disposé au beau milieu d'un rond-point flambant neuf, celui de Montebello (Petit-Bourg), certainement un des plus fréquentés de l'île, était resté intact une semaine jusqu'à ce qu'une voiture finisse par l'écraser.

rentré en France en […] pour rejoindre mon ex-belle-fille. C'est une Martiniquaise, ils ont habité à […] en HLM. Il la frappait. En […] je suis allée un mois mettre de l'ordre là-dedans, elle m'avait appelée en Martinique en pleurant. Son père m'a payé le billet. Puis en juin je suis revenue et il avait quitté ma belle-fille pour vivre avec une bonne femme, une Arabe. Quand il est allé en Martinique en […], il était catholique… En revenant il a complètement ignoré la religion catholique, il lisait le coran. Il s'est converti, il est devenu violent, il foutait des coups à mon ex-belle-fille. Peut-être c'est le fait de m'avoir vue frappée, le fait de voir son père je veux dire celui qui l'a reconnu, se suicider, ça l'a marqué.

En […] mon fils est parti vivre chez sa copine, une Arabe. Ils se sont mariés en […], j'étais leur témoin : ils m'ont gâtée, comme elle était clandestine, sans papiers. Puis un mois après la fille a demandé le divorce car il la traitait de pute parce qu'elle mettait des talons hauts, elle se maquillait et mettait des jupes courtes. Il voulait qu'elle porte le voile ! Le père de ma belle-fille – elle m'appelait maman – m'a dit : « ah il n'est pas un homme, si il traite ma fille de pute, c'est un imbécile ! » Moi j'étais désolée, je me suis excusée auprès d'eux. Puis mon fils a eu un accident grave de voiture et il paraît dans leur religion il faut s'occuper du conjoint jusqu'au rétablissement, alors sa femme est restée. Ils ont maintenant un fils. On est fâchés depuis, il m'a traitée de pute, de mère indigne. Ils m'ont menacée, ils m'ont dit que les Arabes vont me régler mon compte. Il aurait pu comprendre que j'ai été violée, que c'est pas facile. Peut-être qu'un jour un Arabe va me tuer…

Décryptage(s)

Darlène me reçoit dans son salon. L'assistance sociale m'indiqua qu'elle avait été hébergée dans sa famille, mais que ça se passait mal. Finalement elle a pu lui débloquer cette situation précaire en appuyant son dossier pour trouver un logement. Elle est heureuse d'être écoutée ; je découvre lors de l'entretien sa vie tragique… Au fur et à mesure de la conversation, l'émotion lui monte à la tête, et finalement elle se met à pleurer, en évoquant les menaces de mort proférées contre elle par son fils, converti à l'islam. Elle me déclare que son plus jeune fils, converti lui aussi, suit le grand frère, et elle ajoute : « ma vie est menacée, si je vois la fin de l'année je sais même pas, avec ces Arabes-là… » Elle considère avoir perdu ses enfants car ils ne sont plus Antillais à ses yeux dès lors qu'ils ont adopté l'islam pour religion… « ces Arabes-là ». Elle m'avoue également des cas de viol chez ses filles comme elle-même en fut victime. En Martinique, elle me déclare être SDF depuis la mort de son père et la mainmise de son frère sur la maison familiale.

En sortant de chez elle, une surprise de taille m'attend : elle ne peut pas fermer sa porte, car du sel s'est incrusté dans le trou de la serrure au sol. Du sel ! Et il y en a sur tout le pas de la porte… Je lui demande si elle a mis ça « pour se protéger de moi », elle me dit que non, et précise :

> Hier soir j'ai fait un cauchemar, quelqu'un marchait dans ma maison en survêtement, ça crissait au sol. Ma sœur m'a dit que c'est l'Arabe, la femme de mon fils, qu'elle a les mains sales, qu'il faut mettre du sel. La femme de mon fils m'a demandé de lui ramener une photo d'elle et de ma petite-fille qu'elle m'avait offerte : quand je lui ai rendue elle m'a dit « tu sais c'est pourquoi les photos ? » Elle m'a dit : « c'est pour faire le mal ! » J'aurais dû déchirer ça devant elle, mais elle aurait pris prétexte de ça pour dire que je l'aurais menacée […] C'est comme quand j'étais dans le […]

> arrondissement, j'étais une femme seule avec plein d'Africains autour, et je me réveillais mouillée le matin, comme si on avait abusé de moi durant mon sommeil. C'est comme chez nous les Africains, c'est les Dorlis, les Esprits, ils couchent avec toi quand tu dors. Ma mère m'avait dit de mettre du sel. J'ai jamais été embêtée !

La paranoïa, l'agression, la défensive, le rapport à l'Afrique non réglé dont les esprits rodent partout, la déportation et la déshumanisation sous l'esclavage… tout ce que compte notre communauté de difficultés à sortir de certaines logiques, était résumé là. Darlène a d'abord été violée durant son adolescence ; ce drame a ensuite tracé les contours de sa vie. Sans action entreprise en justice, ni suivi psychologique, voire psychiatrique réguliers, elle n'a pu panser ses plaies. Son parcours n'a ensuite été qu'un enchaînement tragique d'actes de violence extrême, essentiellement dans son rapport aux hommes comme elle-même le dit en toute conscience : suicide d'un de ses ex-concubins dans des circonstances encore mises en doute par certains de ses enfants, allant jusqu'à des menaces de mort selon elle par un fils ; frappée par ses autres concubins, l'un d'eux ayant même violé une de ses filles toujours selon son témoignage, une autre ayant subi le même sort avec un voisin, etc. Cette violence intrafamiliale ou celle de l'environnement immédiat lié à la famille, et le silence qui l'entoure, n'en finit pas, de génération en génération, des Antilles à la Métropole : le sceau de l'esclavage se perpétue, marqué au fer rouge, à travers une population qui reproduit encore les schèmes élaborés sur la plantation. Interdit d'aimer, de fonder une famille. La sexualité est furtive, les esclaves se reproduisent pour reproduire d'autres esclaves. Seul le Blanc peut prendre femmes à sa guise, et elles, violées, souillées, en répondant au désir obligé du maître, ont le choix entre périr plus vite si elles s'y refusent, ou survivre à peine plus en espérant parfois améliorer leur quotidien ou celui peut-être de leurs enfants métis… Le colon blanc d'hier n'est pas étranger à la déstructuration persistante de la famille antillaise d'aujourd'hui, comme un boulet invisible, qu'on traîne :

> On aurait pu parler d'autorité du père noir s'il avait commencé par avoir une famille propre. Il ne suffit pas qu'un homme s'accouple à une femme et qu'un petit animal naisse pour constituer une famille. [...] L'abolition de l'esclavage n'a pas supprimé les rapports qu'avait institué l'ancien système, l'ancien maître continue d'organiser l'économie et les relations matrimoniales. Il reste porteur du Signifiant organisateur – législateur, gardien de la loi. Mais ce père est peut-être jaloux de ses prérogatives, et semblable au père de la horde primitive, il ne partage ni ses femmes, ni son autorité avec ses [fils esclaves]. La comparaison n'est peut-être pas totale, il leur permet de les engrosser. Les conduites de l'Afro-Américain sont ambivalentes à l'égard de ce père, il voudrait le tuer et en même temps, il l'admire. [...] Même si le Blanc a quitté la scène, il ne continue pas moins à distribuer les rôles, à assigner les places, à dire aux femmes, quel est l'objet de leur désir. Les observateurs seraient-ils aveugles au point de ne rien voir de l'intrigue, ignorants au point de ne rien comprendre ? (Gracchus, 1987 : 124-126).

Et ce qui est encore plus marquant, c'est que la violence interne à la société antillaise, héritage direct de l'esclavage et du rapport encore actuel au Blanc, perceptible à travers le système magico-religieux antillais (*quimbois*) dans lequel plonge Darlène, se confronte cette fois aujourd'hui en plein quartier multiculturel parisien, au système religieux des Maghrébins si l'on prête attention à ses propos (photo récupérée par la belle-fille pour faire « du mal ») et à celui des Africains (« esprits » des Africains « comme aux Antilles »). Toutes ces représentations sont observables au plus profond de son intimité, dans ses rêves, dans son appartement, dans son sexe : sel déposé par ses soins sous sa porte contre l'esprit de sa belle-fille arabe errant dans l'appartement pour la tuer; sel également contre les esprits africains menaçant de la violer durant son sommeil, réveils mouillés, etc. Et elle intègre parfaitement à son système de pensée provenant des Antilles les attaques par le religieux portées par sa belle-fille selon des schèmes hérités eux du Maghreb, ou celles que peuvent porter les Africains dont les esprits sont les mêmes selon elle qu'aux Antilles (l'héritage africain dans le système religieux antillais est clairement assumé par Darlène). Elle les prend très au sérieux d'autant plus que les objets ou parties du corps utilisés dans le but de faire du mal, sont souvent les mêmes dans ces sociétés traditionnelles en conflit au cœur de Paris:

- Pour les Antilles, « ne laissez pas traîner vos vieux vêtements, vos cheveux, vos rognures d'ongles, pas plus que vos papiers d'identité tel extrait d'acte de naissance ou photo, toutes ces choses pourraient se retrouver dans un *quimbois*, enterré dans un cimetière par un *quimboiseur* qu'on aura payé pour vous nuire» (Poulet, 2013: 104).
- Chez les Arabes, le *sihr*, de l'ordre du magico-religieux, peut être pratiqué au cimetière, avec une représentation de la personne visée ou une partie d'elle-même comme une photo, un habit, les cheveux, etc.

Darlène et son ex-belle-fille arabe évoluent donc dans des sociétés où les mêmes objets et symboles sont utilisés, chacune interprétant à sa façon voire parfois même en étant consciente des représentations religieuses dans lesquelles évolue l'autre (donc dans tous les cas l'intention de nuire sera rendue possible car interprétable par les deux femmes), afin de faire du mal. Le religieux apparaît être alors un champ d'expression très fort des échanges interculturels dans nos quartiers parisiens, qu'on ne croise pas au premier coup d'œil au coin de la rue mais qui pourtant est bien là, en embuscade, chef d'orchestre d'une guerre de tranchée invisible entre communautés toutes issues de l'Afrique socialement régies par le spirituel et l'omniprésence des ancêtres ou esprits (Afrique du Nord, Afrique noire, Antilles). Ou Paris l'interculturelle, par magie…

En nous quittant, je recommandais à madame un psychanalyste guadeloupéen et un ethnopsychiatre martiniquais, plus à même d'aborder sa situation en fonction de sa cosmovision antillaise. La porte se referme.

***

Je me retrouve seul, dans la rue. Comme jamais.

Paris, RER, retour banlieue. Une fois devant chez moi, mes clés ratent trois fois, cinq fois, ou plus, la serrure.

Mon corps se met alors à trembler, hors contrôle, comme s'il ne m'appartenait plus…

Un torrent de larmes monte à mes yeux.

Je craque.

Puis les grosses larmes sont absorbées par le parquet.

Pour elle, pour moi, pour notre humanité martyrisée par ces horreurs, je ressortis de ce témoignage bouleversant convaincu à jamais que notre communauté et le genre humain méritent le meilleur, après avoir connu le pire.

Il faut être fort pour tenir devant les Africains ! Des fois la nuit je dors et VOUM, je suis projeté contre le mur ! Ils envoient des trucs sur toi ! Mon père me disait toujours, depuis tout petit : « Toi, tu es protégé ». En prison ça m'a beaucoup aidé, je prie tous les jours.

Valentin, 50 ans, né à la Martinique[1]. « *Chez lui* », vers République

En Martinique, je vivais chez mon père, à [...] ; ma mère est morte j'avais [...] ans. Tout le monde était entour, ils avaient leur maison. On était à treize frères et sœurs, je suis le dernier. On vivait dans un quatre-pièces. Lorsqu'on est aux Antilles, on a tendance à faire n'importe quelle connerie. Un moment tu travailles, dans les champs d'ananas, un moment non. C'est mon père qui m'a dit : « tu vends un bœuf, tu achètes un billet et tu pars en France. » Il m'a aidé pour partir, sinon je serais un voyou là-bas, y'a rien à faire, je traînais avec les copains. J'avais 18 ans.

Je suis arrivé en France en 1974, chez ma sœur, à [...]. Comme c'était loin à [...], je suis allé chez un frère qui habitait dans le 12e, et comme je connaissais un cousin qui connaissait le directeur de l'ANPE, il m'a trouvé du travail le jour même. Il m'a envoyé dans un centre commercial qui faisait que du vin. C'était payé 1 300 francs par mois, c'était pas bien payé. Après j'ai travaillé comme ouvrier d'eau, traitement des eaux de la piscine. J'ai travaillé là vingt-cinq ans, vingt-cinq ans toujours bien noté, jamais de problème.

J'ai connu ma femme, une Guadeloupéenne, on a trouvé un studio à [...], on s'est mariés parce qu'elle était

1. Hébergé par un ami dans un studio. Père de trois enfants d'un premier mariage, à charge de son ex-femme, guadeloupéenne. Surveillant d'équipements sportifs ; venait tout juste de réintégrer son poste après sa sortie de prison (victime de faux témoignages).

enceinte, on a fait une demande, on nous a donné un F3, à […]. En […], on a acheté un pavillon avec ma femme, un F7, à […]. La gare était à côté. J'ai vécu là jusqu'en […], on a vendu alors la maison. On a pris un appartement à […], un F4 comme locataires, avec les enfants. C'est là que ça a commencé à dégénérer, elle m'a demandé le divorce, elle m'a jamais dit pourquoi. Moi j'étais pas d'accord devant le juge. C'est elle qui est partie, elle est allée chez la famille, c'était déjà préparé ! Elle est partie avec les enfants, comme j'avais beaucoup de repos je les voyais souvent, alors ça a été dur. Je suis resté là deux ou trois mois, après j'ai eu un studio car je suis allé voir la société HLM, ils m'ont transféré à […]. Le soir quand le travail durait plus tard jusqu'à 22 h 30 le temps de fermer quand il y avait des clubs, je devais alors marcher vingt-cinq minutes pour rentrer chez moi. J'ai eu des problèmes de paiement… je suis resté trois ans comme ça, j'étais perdu après le divorce, comme avant c'était la femme qui gérait tout… On m'a expulsé.

Je me suis trouvé chez quelqu'un, chez une femme que j'aimais bien, qui est morte. C'est une métisse africaine, elle est morte on était ensemble, ça m'a créé de gros problèmes. Elle est tombée malade. Mais les Africains ça s'est mal passé, elle avait […] enfants, elle était jeune. C'est eux qui m'ont créé des problèmes. Un jour elle est revenue de vacances avec moi aux Antilles, mais elle est tombée malade, personne a jamais su de quoi, elle a maigri maigri, en tout cas elle avait pas le Sida, tu sais les Africains c'est mystique, on sait pas. Je vivais avec elle dans un F3, à […]. Elle travaillait pas, tout mon argent y passait, elle touchait l'allocation familiale. Le jour du décès il y a deux ans, la famille m'a mis à la porte. Ils m'ont foutu à la porte, ils ont foutu tout à la poubelle, j'avais acheté un lit tout neuf. Ce jour-là j'ai pleuré comme un enfant, faire ça à quelqu'un, une femme que je me suis occupé d'elle ! Là j'ai demandé de l'aide à tout le monde : une dame blanche qui m'a pris chez elle, j'ai logé chez elle six mois. Une nièce, deux mois, vers Melun, puis chez une copine, une Guadeloupéenne, je suis resté trois mois, à [...]. Elle m'avait dit pas plus de deux mois, un samedi elle m'a dit tu prends ton sac ! Son copain c'était un Guyanais, il lui a dit... C'était un studio, je comprends.

J'ai reçu une convocation de la police, c'est mon chef qui m'a donné le fax car ils arrivaient pas à savoir où j'habitais. J'arrive au commissariat, je croyais c'est pour autre chose, et là on me dit que j'ai violé les [...] enfants de mon amie morte, l'Africaine. C'est la famille qui leur a dit de dire ça. J'ai fait un bond en arrière. « Quoi ? Ils ont attendu que la femme soit morte pour me faire ça ? » J'ai dit *non non non non*, je touche pas aux enfants ! Ils m'ont amené au tribunal, mais pour moi j'étais libre. Le juge a dit que je battais les enfants, que je battais ma femme, que je violais les enfants. Ils m'ont fait signer tous les papiers. Puis je suis passé devant le procureur, et là elle m'a dit : « Vous allez en prison en attente du jugement ! » Les juges ont dit je vais prendre cinq à huit ans, même mon avocat m'a lâché cinq mois car je pouvais pas le payer et dehors personne m'aidait. Je suis resté onze mois en prison. Là j'ai rencontré les violeurs, les drogués, les gens qui fait les banques, les clochards... mais le plus humiliation c'est quand ils te met à poil quand tu arrives, comme devant ta mère quand tu es petit. Je suis resté trois mois sans télé. J'ai appelé mes enfants ils sont pas venus, j'ai pensé qu'ils avaient peur de la prison. J'ai seulement un ami qui est venu.

Il faut être fort pour tenir devant les Africains ! Des fois la nuit je dors et *voum*, je suis projeté contre le mur ! Ils envoient des trucs sur toi ! Comme je suis voyant, j'ai dit à un ami guadeloupéen qui travaillait avec moi – il était handicapé et partageait ma cellule – qu'il va falloir qu'il se débrouille tout seul car dans quatre jours je vais sortir ! Mon père me disait toujours, depuis tout petit : « Toi, tu es protégé. » En prison ça m'a beaucoup aidé, je prie tous les jours. Je souhaite ça à aucun frère antillais, peut-être les Africains sont pas tous comme ça, mais dans cette famille le père est général de la fille là-bas en Afrique. La seule chose qui m'a sauvé c'est mon avocat qui a fait une demande d'expertise sur les enfants. Ils ont trouvé les enfants ils ont rien, et ils ont trouvé les enfants mentent beaucoup. Ma libération a été immédiate. J'ai à peine arrangé mes affaires, j'ai laissé pas mal de trucs pour le gars qui était dans ma cellule. Le pire c'est quand ils te lâchent dehors. Il a fallu que je m'assoie une heure pour voir où je vais aller, comment je vais faire et c'était le plus dur. J'ai laissé passer une dizaine de bus.

En sortant j'ai logé deux jours chez mon amie de Guadeloupe, elle m'a dit : « Tu sais j'ai deux filles, alors je préfère pas… » Je suis dans ce studio depuis deux mois, grâce à cet ami qui venait me voir en prison. Il reste dormir chez ses parents et vient dans son studio ici travailler pour ses films, sur son ordinateur, ses magnétoscopes, sa télé. Il loue ici. Il me dépanne. C'est pour ça maintenant je ne veux plus voir personne. J'ai revu mon aînée, une fois, il y a pas longtemps… elle m'avait fait une lettre en prison pour s'excuser de pas venir me voir. Ils m'ont repris au travail, mon avocat a appelé [l'employeur], ils ont repris mes notes, toujours 19,75/20, le maximum, ils peuvent pas mettre 20. Ils m'ont posé des questions, je leur ai expliqué, ils m'ont repris tout de suite !

Décryptage(s)

En venant voir Valentin, j'avais été informé par l'assistante sociale qui le suit de cette « parenthèse » des derniers mois, mais non de son contenu : elle m'avait averti qu'il me parlerait lui-même de son histoire si bon lui semblait. Le studio dans lequel il est hébergé par un ami, est impeccablement tenu : c'est un studio tout équipé mais c'est aussi et avant tout un lieu de travail vidéo, avec tout le matériel que cela implique (magnétoscopes VHS et DVD, télé et micro-ordinateur). Cet ami l'appelle, pour lui annoncer qu'il vient de rater un rendez-vous pour la visite d'un appartement. Un petit fauteuil transformable occupe une bonne partie de l'espace, 7 m^2 au bas mot ; une fois déplié, il doit mesurer à peine trois quarts de la taille de Valentin, lui étant très grand. L'échange tourne très vite essentiellement autour de sa « parenthèse » qui s'avère être une véritable descente aux enfers, et du dénouement heureux avec sa libération à peine deux mois en arrière. La suspicion est grande, et après m'avoir longtemps questionné sur les Antilles, et constaté que je suis moi-même de la communauté, il m'avoue qu'il ne se serait pas livré à quelqu'un d'extérieur. Un tel parcours singulièrement extrême, la foi qui émane de cet homme face à une telle épreuve de la vie, forcent l'admiration et méritent que l'on s'y attarde.

La prison qui casse les hommes, la prison qui vous broie lentement, à petit feu, et l'attente quotidienne derrière les barreaux d'un jugement qui ne vient pas, pour une faute si gravissime et que l'on n'a pas commise, sont bien le pire dont on risque de ne pas se relever. Certes, monsieur a retrouvé son travail, en y étant immédiatement réintégré une fois sorti de prison et blanchi, et il bénéficiera d'outils mis à disposition par son employeur afin de retrouver un logement. Mais l'inquiétude quant à savoir où il sera logé dans les mois suivant sa sortie semble bien secondaire après ce qu'il vient de traverser ; c'est même un de ses moindres soucis, comme si rien ne pouvait plus l'atteindre. Et qu'importe s'il vient de passer à côté d'une possibilité de relogement en ne s'étant pas présenté deux jours avant, préférant partir en vacances plutôt que de suivre son courrier. Il y en aura d'autres ; le repos est d'abord de mise.

Car le temps de la reconstruction est désormais engagé, et les étapes semblent avoir été rapidement franchies : la frontière entre la prison et l'extérieur avait peut-être déjà été abolie, à « l'intérieur », au plus profond de son être, lorsqu'il était en cellule. C'est la religion antillaise, entre catholicisme et héritages africains, qui lui a permis de tenir au jour le jour en prison. Cette force de conviction chez les Antillais, poussée à son paroxysme dans ce cas, est souvent mal comprise lorsque la part du religieux n'est pas prise en compte. La « compétition » avec la communauté africaine, sur ce registre, est très intéressante puisque pour lui tenir tête, Valentin me déclare qu'un Antillais ne pourrait y arriver sans disposer de pouvoirs à la hauteur ! Et si l'action de l'avocat, des plus matérialistes qui soit, à savoir exiger une expertise des enfants accusateurs, est reconnue par Valentin comme l'ayant tiré d'affaire, finalement il considère que c'est d'abord l'immatériel, l'impalpable, qui a emporté la décision finale de sa libération : car en priant, il a « amené » l'avocat à reprendre sérieusement son dossier laissé en suspens cinq mois durant faute d'argent. Pour conclure sur cet aspect, il déclare avoir été « plus fort » que les Africains. À n'en pas douter, cette victoire sur le « mysticisme africain » qu'il évoque, constitue une montée en grade évidente à la fois au sein de la communauté antillaise mais aussi au-delà, chez ceux qui peuvent avoir recours à de telles pratiques magico-religieuses pour affronter leur quotidien.

Lorsque les proches (la famille, ou les femmes nombreuses dans son entourage) se sont éloignés alors qu'ils étaient présents avant la prison pour l'héberger, comme cette amie guadeloupéenne avec enfants, les relations amicales élargies au-delà de la communauté antillaise ont été de première importance puisqu'elles lui ont offert de garder le contact avec l'extérieur lorsqu'il était en cellule, et de trouver un toit, dès sa sortie. Son parcours de vie/logement chaotique avant la prison a été rythmé par ses différentes ruptures : il a d'abord été expulsé de son logement par décision du tribunal après son premier divorce, ou après le décès de sa concubine africaine (expulsion violente par la famille de la défunte, jetant toutes les affaires de Valentin à la poubelle). Il avoue lui-même s'en remettre à la femme pour tout gérer : mais lorsque la rupture dans le couple est consommée, il se retrouve sans toit. Ainsi, contrairement à certains témoignages machistes tirés d'une certaine bonne conscience populaire antillaise (comme en témoignent les propos d'autres enquêtés comme Patrick stipulant qu'il ne faut pas dépendre d'une femme pour loger le couple, si l'on ne veut pas se retrouver à la rue en cas de séparation), la femme ne peut en aucun cas être considérée comme la seule responsable de la perte de logement de l'homme en cas de rupture : ce dernier, lorsqu'il est incapable de s'assumer seul, se retrouve donc sans logement de son propre fait, dès lors que la femme n'est plus là pour tout gérer. « Charger » ainsi la femme de tous les maux envers l'homme, même celui de se retrouver à la rue, témoigne d'une grande absence de responsabilité masculine dans la stabilité par le logement : ce type d'instabilité lorsqu'elle est observée rejoint d'ailleurs plus largement la question de la déstructuration de la famille antillaise, l'homme ayant une grande part de responsabilité dans cette dernière de par l'absence du père. Et le contexte du monde du travail, à savoir la flexibilité pour certains emplois avec des horaires tardifs pour de nombreux travailleurs dans les services où sont très présents les Antillais, comme Valentin, n'est pas non plus un élément jouant en faveur d'une meilleure structuration familiale.

MIXITÉ SOCIALE, INTERCULTURALITÉ OU DISCRIMINATION ? VRAIS AMIS ET FAUX SEMBLANTS

Quand on est allées à la préfecture, j'étais enceinte je courais avec mon gros ventre, et fallait les voir courir les femmes africaines avec leur bébé dans le dos, les CRS derrière !

Angéline, 35 ans, née en Martinique[1]. *Chez elle, Porte de Clichy*

J'habitais à Fort-de-France, avec ma mère. Mon père vit là-bas mais je dirais c'est mon père biologique, je n'ai pas de contacts avec lui depuis longtemps, je cherche pas à le voir. Le père de mes frères et sœurs était décédé[2], ils vivaient tous ici, et un en Suisse. Dans la maison c'était environné de fourmis rouges, ça me mordait dans mon lit, et y avait mon lit qui bougeait la nuit. Ma mère m'a dit « ça c'est quelqu'un qui est en train de faire quelque chose : les fourmis, on les a envoyées ! » J'avais 14 ans ; elle a appelé ma sœur en Métropole pour nous chercher un logement, au lieu de ça elle nous a escroqués ; elle a vidé son compte – elle y avait accès – et elle nous a mis à l'hôtel. Ma grande sœur a jamais déposé la demande de logement de ma mère, ma mère l'a trouvée froissée, dans son sac… Quand je suis arrivée en Métropole, on m'a emmenée directement à l'école, il faisait froid, alors qu'à la télé on nous montrait que les gens étaient vraiment souriants. J'étais vraiment dépaysée ; je demandais à ma mère si je pouvais pas rester vivre chez une voisine, en Martinique… On est arrivés en septembre 1984, en juillet 1985 on était à l'hôtel. Ma mère dans la précipitation comme on a été chassés par ma sœur, elle a oublié un mouchoir où elle avait les bijoux que son mari lui avait offerts. Elle a jamais revu les bijoux.

---

1. Relogée dans un F5 en logement social. Vit avec son mari, comorien, et leurs quatre enfants. Titularisée Agent spécialisé des écoles maternelles (ASEM). Son mari, chauffeur-livreur, est sans emploi.
2. Sa mère a cinq enfants issus d'un premier mariage.

On s'est retrouvés dans une petite pièce Porte de Clignancourt, avec ma mère, la deuxième de mes frères et sœurs, l'avant-dernier et moi. Avec un petit lavabo, une petite plaque électrique, la douche sur le palier mais on se lavait pas dedans parce que ça sentait tellement ! Y avait un restaurant en dessous c'était toujours tapage nocturne. On n'est pas restés longtemps... Puis on est allés dans l'appartement d'un ami à ma sœur. Mais on a eu des problèmes : l'appartement était à quelqu'un qui était en prison, il avait tué sa femme qui l'avait trompé, et lorsqu'il est sorti après six mois qu'on était là, il nous a donné quand même trois mois pour qu'on trouve quelque chose. Mais il nous a dit : « j'ai rêvé de... », comme il avait fait à sa femme !

On est allés à nouveau à l'hôtel, un meublé, une toute petite pièce mais plus propre qu'à Porte de Clignancourt. C'était un hôtel-restaurant, tenu par des Arabes, mais c'était cher, ça coûtait 3 000 francs. On est restés quelques mois. Puis la troisième de mes sœurs, qui vivait avec quelqu'un à Anthony, nous a trouvé un appartement, un F3 dans le 17e, par annonce. Comme elle faisait le va-et-vient avec la Suisse où vivait mon grand frère, le propriétaire il a demandé si elle pouvait lui ouvrir un compte là-bas ou quelque chose comme ça, il a pensé qu'elle était riche peut-être, c'est elle qui a négocié.

Ma mère est partie en août 1991 définitivement en Martinique, moi je l'ai accompagnée et je suis revenue tout de suite. En arrivant là-bas aussi c'était une lutte : il y avait des squatters, il y avait de l'huile partout, la porte était défoncée. En plus ces gens-là faisaient de la sorcellerie pour nous empêcher de rester dans la maison. Ma mère avait donné à un voisin dans le quartier trois moutons pour qu'en échange il vienne aérer la maison et couper l'herbe. Mais il a installé cette femme dans la maison, il allait la voir de temps en temps, et quand il s'est séparé d'elle, il est retourné vivre en commune en laissant cette dame-là, dans la maison. Ma mère est restée un an dans la maison avec eux, on était assez inquiets, mais ils sont partis.

Moi j'habitais avec mon ami, qui est mon mari maintenant. Il vivait au quatrième étage, au-dessus de là où on a vécu avec ma mère, mon frère et ma sœur. Mon frère et ma sœur ont dû rendre l'appartement en 1992, car ils travaillaient pas, moi j'avais pu les aider un temps mais je travaillais pas non plus régulièrement. Quand le propriétaire a vu que ma mère était partie, ils sont partis dans un hôtel meublé, à la Chapelle. Heureusement que ça existe, ça dépanne, mais ça coûte aussi cher qu'un loyer. J'ai eu mes enfants dans le studio de mon mari. Au début c'était pas en si mauvais état, on voulait bien faire les travaux, mais le propriétaire voulait pas nous payer l'achat du papier peint et de la peinture. Les fenêtres devaient être changées, elles étaient en bois, c'était bien rouillé. En hiver on n'arrivait même pas à les ouvrir, y avait même pas de grille de protection pour les enfants, on était obligés de prendre une grande planche attachée avec des ficelles. Dans la cuisine il y avait le rond découpé dans la vitre pour l'aération, mais le truc qui tourne qu'on met là, il l'avaient pas mis. Donc c'était ouvert, on a dû mettre un carton. Et notre douche était pas étanche, ça avait inondé chez les voisins. Le proprio a voulu nous mettre ça sur le dos, mais c'est passé au tribunal et il a dû payer pour les autres voisins et remettre du carrelage dans notre cuisine, remettre en conformité la douche, le reste ils ont rien fait. Y avait des voisins qui gueulaient tout le temps, ils sont kabyles, les enfants couraient tout le temps, ils jouaient au ballon, le sol était en bois. Je connaissais cette dame au début, elle est devenue bourgeoise quand elle a acheté. Elle nous disait : « vous comprenez, je suis propriétaire… » Elle se prenait pour la reine d'Angleterre !

Elle avait installé un panier de basket dans la maison, ils faisaient du roller. Quand on est partis, j'ai dit : « Je souhaite que le proprio » comme il vendait, « que ce soit des Français bien racistes car eux le moindre petit bruit ils tapent avec leur balai, ils appellent la police... » Elle avait décidé quand elle est devenue propriétaire de ne plus prendre d'enfants noirs chez elle – elle gardait les enfants au noir... Je laisse entre les mains de Dieu!

J'ai beaucoup prié pour avoir un logement, pour que les portes s'ouvrent... On a écrit à l'OPAC au directeur, une quinzaine de fois, on a expliqué que j'étais à l'hôpital que j'attendais un quatrième enfant alors que le deuxième avait déjà des problèmes, il est en école spécialisée. On a dit que le logement était insalubre, on a écrit à Mme de Panafieu, pas de réponse. Même en banlieue on a retiré un dossier, on avait demandé Blanc-Mesnil, Noisy-Champs, aux Mureaux. On a écrit à Delanoë, à Chirac... Mon mari allait manifester avec le collectif des mal logés du 18e. On agissait en secret, les lieux de rendez-vous se faisaient de bouche-à-oreille, on était surveillés par la police. Moi j'étais la seule Antillaise, les autres étaient d'Afrique : quand on est allées à la préfecture, j'étais enceinte je courais avec mon gros ventre, et fallait les voir courir les femmes africaines avec leur bébé dans le dos, les CRS derrière!

La SIEMP nous a proposé un logement à Vigneux, mais je n'ai pas trouvé d'école spécialisée pour mon fils... Mme [C., assistante sociale CMAI] nous a trouvé un F5 à Montreuil, mais comme mon mari avait pas de fiche de paie... C'était super grand, mais c'était face au cimetière, alors moi, des fois que la nuit les morts se mettent à crier... [rires du mari!] Un jour avec le collectif on a débarqué à la mairie du 20e, et là la SAGI nous a proposé un F4 dans le 20e, à Gambetta, mais en fait c'était un faux quatre pièces, il n'y avait que deux petites chambres, on devait payer 700 euros, et 200 euros de charge, je pouvais pas payer ça. Y avait une fissure dans le plafond, et celui qui partait nous disait avoir demandé en vain des travaux.

Armand, le mari d'Angéline, intervient :

Moi j'ai dit je ne veux pas sortir de la merde et rentrer dans une autre merde... j'ai quatre enfants, l'adjoint au maire nous a contactés il veut se débarrasser de moi en nous donnant ça !

Angéline :

En mars 2004, on est rentrés ici. Ici c'est tranquille mais c'est un peu désert. Y a un magasin c'est Leclerc au niveau du périph, à quinze minutes, et quelques magasins de vêtements, mais c'est déjà Levallois. Sinon je remonte à Porte de Clichy et avec le bus 54 j'ai tous les magasins avenue de Saint-Ouen, là où j'habitais avant. Je connais plus Place de Clichy, Guy Môquet, il y a beaucoup de magasins, de marchés… c'est très vivant ! Notre premier combat c'était de meubler, car on a tout balancé, c'était en mauvais état. Les cafards nous ont suivis jusqu'ici dans le frigo et la machine à laver ; on en a plein ici alors que les voisins en ont pas, les cafards ils sortent la nuit, ils sont venus d'où on était !

Armand :

Ici tout le monde a une voiture, on est au milieu du périph, mais ça nous dérange pas, on aime bien le calme. Sur le même palier, il y a des Blancs qui ont acheté, ils m'ont dit qu'il y a trop de Noirs ici, ils vont déménager. Y a une dame qui nous arrose avec ses fleurs quand on passe. Elle dit : « On n'a pas demandé à l'OPAC de vous loger ici ! »

Décryptage(s)

Angéline et Armand habitent dans une zone nouvellement construite « après le périph », très médiatisée pour ses « Jardins de Picasso » et autres immeubles sociaux littéralement enrobés d'immenses pots. Une grande nappe couleur madras recouvre la table, les pièces sont vastes et bien éclairées. Angéline et son mari tiennent cependant à me préciser qu'il ne faut pas se fier aux apparences, comme le font leurs amis qui les jalousent d'avoir obtenu un si bel appartement. Car avant me disent-ils, « ça n'avait rien à voir. Vous ne pouvez pas imaginer comment on a vécu. Il y a des gens qui ne savent pas. » Ils me montrent une boîte insecticide destinée aux cafards qui les ont suivis depuis leur ancien logement, en ayant élu domicile dans le frigidaire et la machine à laver : en effet, ils sont des dizaines, pris au piège ! Il en sort donc encore, après plus d'un an et demi de relogement !

Si l'on s'en tient aux paroles d'Angéline, le départ de Martinique fut des plus « mouvementé » : lit qui bougeait tout seul la nuit ou encore fourmis qui mordaient, « envoyées », le tout pour faire du mal, pour amener à un départ précipité. L'intention de nuire par le magico-religieux mais aussi la volonté d'en réchapper, est ainsi l'explication centrale proposée par Angeline pour justifier de cette migration forcée. Le magico-religieux est la seule explication proposée par madame pour justifier de cette migration. Et à l'arrivée, la famille très proche, en l'occurrence une sœur, n'a semble-t-il pas été d'un grand secours pour héberger les primo arrivants ; pire, elle ne leur a laissé aucune chance dans leur démarche d'installation : elle aurait abusé financièrement d'eux, avant de les mettre à la porte en ayant pris soin de ne pas les enregistrer sur les listes de demandeurs de logement, contrairement à ce qu'elle s'était engagée à faire, toujours selon les dires d'Angéline.

Ce type de mauvais départ est d'autant plus important à souligner qu'il semble déterminer la suite des événements dans le parcours de vie/logement de madame, d'hôtels sordides ou chers en hébergement précaire, pendant les six premières années de vie en Métropole. Finalement, lorsqu'Angéline et ses collatéraux approchèrent de leur majorité, et qu'ils obtinrent un logement correct cette fois par l'intermédiaire d'une des sœurs « présentant mieux » (elle réside en Suisse), la mère décida de rentrer en Martinique : à nouveau, dans la précipitation, puisque Angéline et ses frères et sœurs ne furent pas capables de payer leur logement au bout de quelques mois, tandis que la mère eut la mauvaise surprise de découvrir son logement squatté aux Antilles.

Angéline, installée alors chez son concubin, juste au-dessus de chez ses frères et sœurs, va alors connaître encore des années noires en matière de logement, puisque le studio de celui qui deviendra son mari va se dégrader, tandis que le couple devra faire face à de nombreux impayés et au refus du propriétaire de prendre en charge les travaux nécessaires, les conduisant ainsi jusqu'au tribunal. Mais si la situation est difficile, la combativité du couple n'en reste pas moins intacte : ils écriront au maire d'arrondissement, au maire de Paris, au Président de la République, afin d'obtenir un logement décent pour leur famille, d'autant que pour ne rien arranger, un des enfants est handicapé et suivi en école spécialisée. Angéline va également se rapprocher des collectifs de mal logés, majoritairement constitués d'Africains, les femmes y jouant un rôle d'avant-garde n'hésitant pas, certaines avec leur petit dernier dans le dos, à braver les CRS.

La violence du combat pour se loger est on ne peut mieux illustrée par ce couple a priori sans histoire, mais obligé de se battre, pour avoir droit à un toit à la mesure de leur foyer. Et l'alliance de madame, antillaise, avec un homme africain (Comores), a directement ralliée cette dernière à la lutte des travailleurs immigrés dans cette quête : ainsi, le problème du logement des Noirs, qu'ils soient antillais ou africains, se pose malheureusement souvent dans les mêmes termes. Mais l'alliance de ces deux communautés dans leur démarche de recherche logement est rarement coordonnée, les Antillais étant beaucoup moins « visibles » dans leur action en ce domaine que les groupes de mal logés africains : les Antillais victimes de discrimination avérée dans l'accès au logement refusent même individuellement trop souvent de s'en remettre à la justice, pour se défendre ! Pire, des Antillais, comme j'ai pu le relever assez systématiquement durant d'autres entretiens, s'en prennent aux immigrés d'Afrique noire pour faire valoir leur droit, en accusant ces derniers d'être favorisés par les autorités pour l'obtention de logements. Seules les alliances cette fois au niveau individuel, comme par exemple chez ce couple, peuvent amener des membres de la communauté antillaise à rejoindre le combat des immigrés africains dans le droit au logement ; mais tant que la réponse apportée par l'ensemble de la communauté noire ne sera pas ramenée sur le terrain de la lutte antiraciste dans son ensemble, Antillais et Africains ou enfants d'immigrés confondus, des Antillais bien que français continueront à être tout autant victimes de discrimination que les étrangers du continent noir auxquels ils refusent parfois catégoriquement d'être assimilés !

Une autre étape restera alors à atteindre, celle de la très idéale « mixité sociale », sur lesquels les bailleurs n'hésitent d'ailleurs pas à s'appuyer pour exclure davantage les Noirs du logement.

Très souvent, la mixité sociale rencontre donc la question ethnique, et le statut de locataire ou de propriétaire vient renforcer la fracture « socioraciale ». Après s'être vu proposé des logements dans Paris mais nécessitant soit de nombreux travaux et hors de prix, soit situés « avec les morts » au-dessus du cimetière de Père Lachaise, le couple a finalement obtenu un logement un peu à l'écart, aux marges de la capitale, après le périphérique. Mais un logement d'excellent standing, au calme, dans un secteur qui a fait l'objet de nombreuses créations architecturales et d'un maillage urbain de grande qualité. C'est peut-être aussi cela que les voisins du couple, français d'origine non coloniale et eux propriétaires, ne souhaitent ouvertement pas partager avec « des Noirs » qui plus est, « seulement locataires ».

La cohabitation dans ce quartier neuf est donc difficile, et madame préfère encore retourner faire ses courses plus loin, vers Guy Môquet, là où elle habitait avant, où la communauté antillaise est bien plus représentée. La mixité sociale passe donc par une évolution nécessaire des mentalités, mais la bonne volonté politique visant à faire se rencontrer les communautés par le logement ne suffira pas à elle seule : il s'agit d'un problème plus large de société, qui demande à être traité sur plusieurs générations dans le cadre de l'école, et par l'accès égal à la formation et à l'emploi.

Cette fracture n'existe d'ailleurs pas qu'entre les Noirs et les Blancs, mais aussi entre les « Arabes » et les Noirs. Angéline considère en effet qu'une de ses anciennes voisines « arabe » devenue propriétaire s'est alors prise pour la « reine d'Angleterre » ; pire, si l'on s'en tient aux dires de madame, cette barrière sociale franchie aurait ramené la Maghrébine à l'égal des gens du pouvoir, des « bourgeois », des Blancs détenteurs de patrimoine donc, comme peut l'être la « reine d'Angleterre » évoquée par Angéline... Mais elle est convaincue que malgré cette ascension sociale, la Maghrébine aux yeux des Blancs restera une Maghrébine, car même devenue propriétaire, la fracture socioraciale entre Français d'origine coloniale, et Français d'origine non coloniale, demeurera (Angéline souhaite que son ancienne voisine soit ainsi victime à son tour de Français « bien racistes » ; elle ajoute : « Je laisse entre les mains de Dieu »). Sa conclusion est donc sans appel : malgré les tentatives d'ascension sociale menées par les groupes dominés dans le logement pour échapper à leur condition, en passant de locataire à propriétaire, les dominants – les Blancs – restent donc maîtres du jeu...

C'est la foi, à nouveau, dans cette lutte menée au quotidien par la communauté antillaise, lorsque les Hommes n'arrivent pas à s'entendre, qui a tout débloqué : après avoir écrit à tous les échelons politiques, de l'arrondissement, à la mairie de Paris, jusqu'au plus haut niveau de l'État, la croyance en Dieu a soutenu madame face à l'exclusion : elle a « beaucoup prié pour que les portes s'ouvrent »... puis elle a obtenu son relogement (même si l'action de l'assistante sociale du CMAI a été déterminante) !

> Au collège, lycée, c'était la guerre avec les Africaines, les Maliennes, les Sénégalaises et les autres. C'est que d'la bouche mais on est respectées. On sent une division : les Antillais, Réunionnais, Mauriciennes, ensemble ; les Françaises de l'autre côté, les Africaines là. Ça se fait encore, même au travail je le vois !

Audrey, 31 ans, née dans le 18e arrondissement[1]. *Dans son F2, avec ses deux cousines, pas loin du métro Charonne (11e)*

Je suis née à Paris 18e, et j'ai grandi dans le 11e. De 2 à 4 ans, j'ai vécu en Guadeloupe, à Bouillante, avec mon frère jumeau, chez ma grand-mère maternelle. Ma mère nous a envoyés là-bas parce qu'il n'y avait personne pour nous garder : mon père travaillait à la poste, ma mère comme agent d'entretien à l'Éducation nationale.

Je suis revenue à Porte de Saint-Ouen, dans le 17e, en HLM, un F3. Y avait une grande communauté antillaise, tout le monde se connaissait par rapport à telle et telle commune… on a l'impression que tout le monde était concentré à Guy Môquet, c'était zouk chez mes parents, même les mariages on les faisait chez mon père. Comme l'hôpital Bichat était à côté, y avait pas mal de personnel, des agents hospitaliers, des aides soignants, également ses collègues de la Poste, qui passaient. L'un allait chez l'autre, c'était Guadeloupe, Martinique, Guyane. Il y a le passage Louis Loucheur, intérieur cour, en briques rouges, on habitait là ! Les policiers venaient, et finalement ils buvaient avec nous, et ils repartaient. Il y avait l'ASPTT, là où mon père jouait au foot. On allait pas loin à Fort d'Auber-

1. Relogée dans un F2 en logement social, dans le 11e (métro Charronne). A fait une demande d'échange en F3, dans le même arrondissement. Vit avec ses deux enfants. Héberge depuis peu une cousine née en Guadeloupe. Séparée de son concubin (malgache), père de ses deux enfants, sans emploi.

villiers, dans les grandes tours ; là y'a que des Antillais ! Mes parents sont restés fermés sur la communauté. C'est pour ça on a été élevés vraiment à la typique nous. J'avais des amis antillais, mais aussi des rebeus et des Africains mais c'est eux qui étaient intégrés dans le milieu antillais. Des fois leurs parents venaient, c'était les voisins. Moi j'allais pas chez eux… ma mère ! On me laissait pas sortir. Maintenant on est repartis et ça s'est arrêté. C'était la belle époque.

En 1986 on est venus à Paris 11e car ma mère a été admise à un concours, comme gardienne ; elle a été mutée en collège. Là, changement de décor, changement de mentalité, changement de tout ! Plus de zouk, plus d'amis… comme si mes parents avaient grandi. Faut dire y'a moins d'Antillais ici. Y en a mais pas comme à Saint-Ouen ou à Aubervilliers. Moi j'aimais bien, ça faisait moins cité. C'était un F3, puis la mairie de Paris, comme on était à plusieurs, ont dégagé de l'espace pour faire une pièce de plus. Notre mère nous a bien occupés entre le catéchisme, le sport ; on passait au collège aussi donc c'était vraiment le changement. Là j'ai eu des amis français, réunionnais, pas trop rebeus, pas trop africains : nous, on est déjà catalogués par les Africains. On nous appelle les « mwaka », par rapport au créole, parce qu'ils entendent beaucoup *mwen ka*[1]. Maintenant c'est les « pip tos », ou « pip tay », ça veut dire antillais, ça vient de tropique, typique… c'est du langage de cité ! On nous appelait aussi les « sa ka maché » ! J'ai grandi à Paris mais j'allais souvent en banlieue chez les cousins, en cité.

Au collège, lycée, c'était la guerre avec les Africaines, les Maliennes, les Sénégalaises… c'est que d'la bouche mais on est respectées. On sent une division : les Antillaises,

1. *Mwen ka* : « Je suis en train de ». Le terme « mwaka » créé par des jeunes issus d'autres communautés est explicitement péjoratif et réducteur, mais peut aussi être entendu sur le ton de la plaisanterie, l'humour étant une marque de la culture de cités. « Mwaka » désigne un peu rapidement les Antillais qui disent en créole *mwen ka fè* (je fais ou je suis en train de faire), *mwen ka alé* (je vais ou je suis en train d'aller), etc.

Réunionnaises, Mauriciennes, ensemble; les Françaises de l'autre côté, les Africaines là. Ça se fait encore, même au travail je le vois!

J'ai fait ma demande de logement quand j'ai commencé à travailler. Quand je suis tombée enceinte de ma fille, c'est une cousine qui m'a dit il y a une assistante sociale à CMAI. J'ai harcelé au téléphone et par courrier la maire, j'ai dit à sa secrétaire: « Faut s'appeler Mamadou ? » J'ai dit que ma mère travaille pour la ville et à l'Éducation nationale. Deux semaines après j'ai reçu une lettre pour visiter le logement. J'ai reçu aussi une proposition de la préfecture mais pas à Paris 11ᵉ.

Comme travail, j'ai toujours voulu m'occuper d'enfants en difficulté, en ZEP. J'ai travaillé à Sarcelles, en collèges, primaires, maternelles, en Emploi jeune. J'attends pour être titularisée, j'ai fait une demande pour rentrer à l'IUFM. Je suis à l'aise avec les enfants et les parents, et ça, ça bloque les instits! On me faisait torcher les enfants et les accompagner pour traverser. Or ça c'est le boulot des ASEM. Je me suis plainte à l'inspection, et là on m'a permis de faire mon travail, mais l'instit m'a claqué la porte au nez. Il y a eu d'autres problèmes, j'ai traité tout le monde de raciste. On m'a fait comprendre que c'est pas une petite renoi qui allait commander… Un autre jour, une instit a pris une assiette à la cantine, elle l'a envoyée sur une cuisinière malienne en disant « encore une qui sait pas lire ni écrire! » Je suis pas allée travailler pendant trois mois tant que j'avais pas de mutation. J'ai sorti un magnéto et j'ai dit « on va aller à SOS Racisme! » Depuis il y a eu du roulement, un autre inspecteur super-cool, un nouveau directeur. C'est bizarre quand même, la maison de l'ancien inspecteur a brûlé et l'ancienne directrice a été mutée. Y avait un Guadeloupéen, clair de peau comme toi, il était accepté par les autres mais il me disait aussi de me calmer, que oui en France les gens sont racistes… il a demandé sa mutation. Aujourd'hui on se retrouve mutés au même endroit finalement!

Le père de mes enfants au début quand j'ai eu ma fille il participait. J'étais encore chez mes parents. Puis sa famille s'est mêlée… Pour mon fils là, il donnait plus rien. Il est compositeur, musicien. Il est feignant, on sent l'Africain : il veut des liasses de billets sinon ça l'intéresse pas de travailler ! Maintenant il participe plus pour mon fils. De mon côté, ils ont vu que c'était la pression dans sa famille, ça me retardait aussi dans mes études, je ratais le permis. J'ai perdu trop de temps, j'ai deux enfants, faut que je me place, même si c'est pas dans la fonction publique, dans une boîte, quelque part. Là, j'ai demandé un transfert logement, mais depuis un an j'ai pas de nouvelle. Je veux ma chambre et les enfants aussi. Toujours dans le 11ᵉ ; j'ai demandé un F3-F4. Normalement ça a été accordé, on attend que ça se libère.

Karine, la cousine de Guadeloupe, qui est hébergée depuis peu :

On venait des fois à Bouillante. Le quartier c'était la famille. Je vivais à Basse-Terre où mes parents travaillent, et on a fait construire à Deshaies, où on allait tous les week-ends. À 18 ans je suis arrivée en France, chez ma sœur, et mon frère est venu un mois après. Elle est là depuis dix ans, elle voulait étudier, préparer plein d'examens. Quand je suis arrivée chez elle, c'était à Massy. C'était un peu difficile, j'étais pas habituée à ce genre d'environnement. C'était un tout : fallait s'adapter à une vie nouvelle, beaucoup de racaille. Après j'étais au lycée, moi je bossais, j'étais plus mûre qu'elles, elles disaient « voilà, c'est l'intello qui débarque… » Tous les dimanches on s'embrouillait, on nous envoyait des trucs pour dire que tous les dimanches on s'embrouille. Comme je travaille pas loin d'ici, je peux aussi m'évader en venant ici, je jongle. Elle est directive, moi je suis posée. Tu verras quand elle arrivera, tout à l'heure.

Au lycée je voulais faire esthétique, mais ils m'ont mis deux ans en secrétariat, j'ai raté mon bac. Il y avait aussi la venue de mon petit-neveu, avec les pleurs, j'arrivais pas à me concentrer, c'est un F2, c'est largement plus petit qu'ici. Cette année j'ai pu m'inscrire en esthétique, ça dure trois ans.

Laurence, grande sœur de Karine, tout juste arrivée :

Je suis venue pour étudier, envie de découvrir autre chose, les Antilles c'est bien beau mais... Quand je suis arrivée j'avais 19 ans, dans un internat à Nation, un an. Je suis passée ensuite au foyer d'à côté, deux ans. Ma mère finançait, c'était 2 000 francs une chambre de même pas 15 m^2. Comme j'ai une grande cousine qui vit dans l'Essonne, j'ai fait sept mois chez elle, mais tu connais déjà : je nettoyais, la vaisselle, je faisais les tâches ménagères, ma mère la payait 1 000 francs, 1 500 francs par mois... j'arrivais en retard lorsque j'avais des rendez-vous !

J'ai dit à ma tante que je partais, je donnais 1 000 francs par mois en plus que ma mère. Après avoir obtenu d'une assistante sociale une orientation en hôtel d'urgence à Villeneuve-Saint-Georges, là j'ai rencontré une asso de réinsertion vie professionnelle et logement : ils m'ont logée dans un foyer-appartement à Grigny la Grande Borne. C'était un grand F4 avec deux autres filles. Je suis restée deux ans et demi. À Grigny c'était dur, un soir des gens cagoulés ont explosé les vitres du bus, un caillou s'est littéralement enfoncé dans le front d'un monsieur... là j'ai dit je pars ! En parallèle, j'ai passé mon BAFA, j'ai fait de l'animation, de la garde d'enfants, puis la directrice m'a rappelée pour être assistante d'animation éducative : je suis restée cinq ans en Emploi Jeune. J'ai fait une demande de logement social et j'ai trouvé à Massy, jusqu'à présent. À Massy je suis très tranquille. Je veux passer à un F4, parce que un F2 c'est pas assez grand, on a le confort mais pour l'intimité... Nous on nous a proposé un échange : une dame seule, dans un appartement mais très insalubre. L'agence m'a dit que c'est un échange, ils peuvent pas prendre en charge, que la tutrice de la dame veut pas débourser l'argent pour les travaux, j'ai quand même accepté mais bon c'est vrai que le loyer est intéressant, c'est 400 euros ! Mon copain veut encore attendre une autre proposition. Moi j'ai toujours vécu dans de grandes baraques : quand on a un enfant, un copain… J'aurais pu dire je m'en vais, mes parents ont leur baraque là-bas, mais ma vie est ici, mon fils est né ici. Je suis pas contre retourner là-bas mais y'a pas de boulot, aux Antilles faut courir pour avoir un médecin, ici c'est tout près. Par contre ici, on est obligé de se battre !

Décryptage(s)

Dès mon entrée dans le F2, je me sens « aux Antilles » : vaste aquarium posé au milieu de la pièce, avec effets de lumières d'un bleu… tropical ; poste hi-fi au maximum, avec du raggamuffin en créole ; télé également allumée, et set de table « souvenir » représentant des sites touristiques de Guadeloupe avec photo d'une femme vêtue de blanc, la tête entourée d'un turban aux couleurs madras. La musique est baissée, mais la télé tourne toujours, tant et si bien que soudain, durant notre conversation, Audrey et sa cousine s'arrêtent net en s'écriant toutes deux, bouche bée : « Elle va le tuer ! » La télénovela *les Feux de l'Amour* s'est ainsi immiscée dans notre réel, au point de me faire croire à l'irréparable… Nous saurons au prochain épisode si Ryan qui est en train de se marier va vraiment se faire tuer par son ex-petite amie, éconduite. La cousine élevée aux Antilles jusqu'à récemment affirme qu'elle va vraiment le tuer, car elle, elle a déjà vu l'épisode suivant ! Pas de doute, nous sommes bien aux Antilles… rien n'a changé depuis mes 8 ans, où je débarquais dans ma famille maternelle de Marie-Galante, une télé au milieu de la pièce principale avec John Ross Ewing et Bobby en pleine bagarre à Dallas !

Audrey est bien dans la reproduction sociale chère à Bourdieu : de parents fonctionnaires, elle a également obtenu une place à l'Éducation nationale (titularisation en cours) comme sa mère ; sa volonté d'être fonctionnaire est d'ailleurs très souvent revenue dans ses propos. Elle évoque également l'entourage de son enfance, principalement constitué d'agents de la Poste comme son père, d'hospitaliers, etc., tous « concentrés à Guy Môquet », dans le 18e, autour de l'hôpital Xavier Bichat : rien d'étonnant donc à ce qu'elle me soit apparue comme presque fraîchement débarquée de Guadeloupe, alors qu'elle a vécu essentiellement à Paris (hormis deux années de son enfance, passées en Guadeloupe). Elle en est d'ailleurs pleinement consciente, lorsqu'elle affirme : « Mes parents sont restés fermés sur la communauté. C'est pour ça on a été élevés vraiment à la typique nous. »

Audrey fait ainsi partie de cette deuxième génération issue de parents ayant obtenu les bons postes parmi les nombreux migrants antillais arrivés en Métropole dans le cadre du Bumidom. Les « Bumidomiens » ont pu garder le contact avec les Antilles, en bénéficiant tous les trois ans d'un billet payé par l'État (congés bonifiés au nom de la continuité territoriale). Et surtout ils ont entretenu ce contact cette fois sans même s'y rendre : c'est cette fameuse *troisième île* chère à Alain Anselin (1990), grâce aux réseaux d'amis et de parents antillais reconstitués socialement en région parisienne – les fonctionnaires de la Poste, des hôpitaux, de l'Éducation nationale, etc. – et géographiquement en étant regroupés au Nord Nord-Est de Paris *intra* et « *extra* » *muros* (villes de banlieue proche telles que Saint-Ouen ou Aubervilliers évoquées par mademoiselle).

Elle a ainsi grandi dans la zone nord de Paris et sa banlieue, en acquérant la « culture de cité » faite de brassage ethnique et de petits mots distinguant Français, Africains, « Rebeus », Mauriciens, Malgaches, Réunionnais, Guadeloupéens, Martiniquais et Guyanais. Tous ces Français d'origine coloniale ou pas, ou ces jeunes étrangers, ont été élevés ensemble, dans les mêmes quartiers, sont allés dans les mêmes écoles… la rencontre et l'entente ont donc été inévitables, même si Audrey constate encore une certaine division de ces groupes à l'école puis au travail. Il est d'ailleurs extrêmement fin de sa part d'observer que les Antillais à Guy Môquet, particulièrement concentrés là, jouaient donc le rôle de catalyseurs, les autres communautés venant s'intégrer à eux, et non l'inverse ! Certains couples se sont ainsi formés, comme Audrey avec le père de ses deux enfants, malgache. Mais ils se sont aussi défaits, le côté « paresseux des Africains » et la pression de la famille du concubin étant les blocages désignés en ces termes par Audrey pour expliquer l'échec de la relation.

Son combat au quotidien pour faire valoir ses droits de Française alors qu'on lui rappelle bien trop souvent qu'elle n'est qu'une noire, semble particulièrement engagé puisqu'elle n'hésite pas à utiliser les méthodes de *testing* menées par les associations antiracistes telles que SOS Racisme, pour confondre ses agresseurs. Mais son engagement, même lorsqu'il tend à s'ouvrir aux autres victimes elles étrangères, comme cette Noire d'Afrique dans son travail (une cuisinière malienne), semble se refermer dès lors qu'il ne couvre plus ses intérêts personnels en tant qu'Antillaise, et ce que ce soit dans son travail, dans son couple ou dans son logement : ainsi elle-même n'a pas hésité comme de nombreux Antillais enquêtés, à se plaindre en mairie d'un supposé favoritisme envers les Africains pour le relogement.

Le parcours de ses cousines est lui aussi, très instructif : l'aînée des cousines, Laurence, est venue de Martinique en Métropole pour faire ses études, le petit frère et la petite sœur ont suivi quelques années après, lorsque la situation en matière de logement pour la grande sœur s'est stabilisée. Mais avec la naissance d'un petit dernier et la présence du concubin de la grande sœur, la cohabitation devint plus problématique (la grande sœur dit manquer d'intimité) : la petite sœur se rapproche désormais de sa cousine, qui elle a deux enfants mais encore très jeunes et est séparée de son conjoint, ce qui peut faciliter l'hébergement. L'hébergement sur Paris chez la cousine, tout près du travail, se fait la semaine, le week-end se passant toujours chez la grande sœur, en banlieue. Ainsi, pour des raisons de distance domicile/travail, et de problème d'espace restreint du logement (un F2 pour trois adultes et un enfant chez la grande sœur), le choix du double hébergement en alternance entre Paris et banlieue s'est donc imposé pour Karine, avec le consentement de tous.

Qui plus est, même si cela n'a pas été mentionné dans leurs demandes d'échange de logement social (elles parlent d'abord de leur famille nucléaire qui s'agrandit, avec les naissances successives), Audrey et sa cousine Laurence, locataires toutes deux d'un F2, souhaitent à l'évidence passer au F3 ou au F4 pour continuer à assumer leur fonction d'hébergeantes… Ainsi, le lien avec les Antilles est maintenu par l'accueil renouvelé des nouveaux arrivants, mais l'optique de venir en Métropole pour repartir, après tant d'années à se battre pour se loger en région parisienne, trouver une formation et un travail, même avec la possibilité de disposer de beaucoup d'espace habitable chez la famille restée en Martinique, semble révolue : avec les années, les Antillais « se sont faits » à la Métropole, et s'il faut se battre au quotidien pour un travail et un logement, contre le racisme aussi dans ces démarches, cela reste un choix préféré au retour dans les départements d'Outre-Mer, minés par l'absence de perspective en matière de formation et d'emploi. La vie avec ses rencontres, et ses naissances, fait le reste, pour le maintien des migrants ultramarins, en Métropole.

Sur Paris on avait fait une demande à la préfecture, et on m'avait répondu : « Sur Paris vous n'avez aucune chance, car les Noirs et les Arabes sont sur Seine-Saint-Denis ». On dit « la révolte des banlieues », mais les jeunes se sont révoltés contre l'injustice sociale !

Alex, 43 ans, né en Guadeloupe[1]. *Dans un bar des Halles*

J'ai grandi au Moule. On était cinq enfants, même père même mère. Je suis venu en Métropole à 10 ans, avec ma mère et mon frère suite à la séparation entre mes parents. On était hébergés chez mon oncle. Mes sœurs sont venues l'année d'après, quand ma mère a eu un logement à Paris, dans le 19e. Un F2 pour nous six, c'était des lits superposés. On allait à la patinoire aux Buttes Chaumont, sinon on allait juste à l'école et on rentrait : c'était vraiment l'éducation à l'antillaise, stricte, ma mère nous tapait quand on faisait des bêtises.

Je n'ai jamais été très « amis ». Le seul copain que j'avais il était juif. Des fois y avait des fêtes juives j'y allais, on regardait la télé chez lui, nous on l'avait pas au début. Ma mère a ensuite eu un F3 deux ans après le F2, jusqu'à maintenant elle y vit. J'y suis resté jusqu'à 27 ans, on est tous partis petit à petit… J'avais une copine, on voulait vivre ensemble : c'est tous pareil, on a tous quitté chez nous car on avait quelqu'un.

On s'est installés dans un F2, c'était chez une dame, aux Lilas. Sur Paris on avait fait une demande à la préfecture, et on m'avait répondu : « sur Paris vous n'avez aucune chance, car les Noirs et les Arabes sont sur Seine-Saint-

1. Habite un F2 en logement social, à Aulnay-sous-Bois. Vit en concubinage près des « 3 000 » (rebaptisés « La Rose des Vents »), quartier sensible de cette ville de banlieue ; a un garçon qui vit avec son ex-femme. Partagé entre son travail en intérim et son engagement en théologie.

Denis. » Ils ont transféré mon dossier là-bas, à l'époque c'était tout à fait naturel, y avait pas de SOS Racisme, y avait pas de Licra, on était résignés à l'époque !

Ils m'ont proposé Saint-Denis Basilique au début, j'avais dit oui, finalement j'ai eu Aulnay. C'était un F3. On est restés dix ans, j'ai eu mon enfant. Un jour sur Tropique FM y avait un débat sur la religion, je me destinais à être pasteur, je faisais des études en théologie. Je suis passé à l'antenne, et c'est comme ça que je me suis retrouvé dans le milieu associatif et médiatique. C'était plutôt un milieu antillais et africain. Par rapport à nos origines africaines, les Antillais disent souvent « je suis pas africain », et nous, c'était leur faire prendre conscience que si ! C'est plus important que de rester dans le petit milieu antillais, à confronter mes thèses avec de grands savants extérieurs à la communauté, sinon on touche personne. On n'est pas que sportifs et musiciens, les gens qui savent tenir un débat on les voit jamais.

Ma femme était de la Martinique. On n'est jamais partis en vacances ensemble, car je travaillais en intérim. Le temps libre je faisais des études en égyptologie, en hiver je restais chez moi. Les rares fois où j'allais aux Antilles c'est quand on me payait pour aller une semaine faire des conférences. Je ne voyais que ma sœur chez qui j'étais hébergé, d'ailleurs je la voyais à peine puisqu'elle travaillait très tôt et moi je rentrais très tard !

J'ai rompu avec ma femme, je suis parti vivre dans un autre quartier d'Aulnay, toujours en logement social, un F2, après avoir fait de l'hébergement chez ma sœur qui vivait à Paris… C'est à côté du quartier « les 3 000 ». C'est la zone là-bas. Le commissariat a brûlé en novembre, pendant les émeutes. Mon immeuble prend l'eau, on va nous reloger plus loin dans du plus récent, en F3. Le quartier est propre.

Sinon les gens ils sont bien, je parle des adultes ils sont respectueux, mais les jeunes ils mettent leur musique, ils font du bruit, squattent le hall de l'immeuble alors que les gens ont besoin de dormir car ils se lèvent tôt. Mon fils vit toujours avec sa mère là-bas où j'étais avant dans Aulnay. Pendant les émeutes en novembre on a discuté, je lui ai dit que je comprenais les jeunes. On dit « la révolte des banlieues », mais les jeunes se sont révoltés contre l'injustice sociale : depuis la deuxième guerre mondiale, les Français ont envoyé les tirailleurs sénégalais pour le sale boulot. Les Arabes, les Africains étaient à Boulogne-Billancourt à Renault pour travailler comme des automates à la chaîne, pour un salaire de misère, comme dans *Les Temps modernes* de Charlie Chaplin. Comme éboueurs aussi. Tous les sales boulots. Maintenant il fallait des gens pour la Fonction publique mais il faut être français : tous les sales boulots, facteur à pied dans les immeubles sans ascenseur, nettoyer le caca des vieux... La main-d'œuvre bon marché c'était les Antillais, sans possibilité de promotion : quinze ou vingt ans après, ils ont pas évolué. On les stoppait... quand ils avaient de l'ambition.

Mais ma génération nous, on a étudié, on nous a dit : « vous avez un accent ! », même si on avait nos diplômes. Maintenant nos enfants, eux, ils n'ont plus cet accent, mais là on leur dit : « vous vous avez un nom à consonance étrangère ! » Or eux, ils sont français, alors la révolte des banlieues c'est face à l'injustice sociale ! C'est pas un problème ethnique...

Décryptage(s)

Alex évoque la surconcentration dès son arrivée à Paris : un F2 pour six ! Puis sa mère se voit transférée dans un F3 ; les frères et sœurs vont alors quitter l'hébergement maternel au fur et à mesure, pour se mettre en couple (lui partira tard, à 27 ans, ce qui laisse entrevoir ce problème de mobilité pour les Antillais ayant bénéficié certes du logement social).

Installé en F2 dans le privé aux Lilas, il rejoindra la Seine-Saint-Denis, toujours dans ce périmètre où se concentre la population immigrée ou supposée telle, dans le Nord-Est de Paris intra et extra-muros. Il dénonce selon lui une politique de ségrégation organisée au plus haut niveau d'une préfecture à l'autre, afin de loger entre eux « les Noirs et les Arabes » à l'extérieur de la capitale.

Solitaire, il aura même du mal à « croiser » sa femme, entre son travail en intérim et les vacances qu'ils ne prennent pas ensemble. Puis d'autres voies que la famille ou les amis, en l'occurrence la religion et les radios communautaires, vont lui procurer un réseau relationnel qui jusque-là, lui faisait défaut. Le religieux et les médias créent ainsi du lien social pour les migrants vivant un processus « d'atomisation » en Métropole.

Enfin, conscient de son parcours, il inscrit les émeutes des banlieues de 2005 dans une continuité sociale et historique avec sa propre lutte pour s'intégrer en Métropole. Il parle de « révolte contre l'injustice sociale », conséquence selon lui d'une migration organisée entre les colonies, les DOM-TOM, et la Métropole, avec dans cette dernière une carence en matière d'intégration, qui aurait poussé les jeunes à réagir.

S'il décrit les jeunes de son quartier de façon assez négative, bons qu'à empêcher ceux qui travaillent, de dormir – « ils mettent leur musique, ils font du bruit, squattent le hall de l'immeuble alors que les gens ont besoin de dormir car ils se lèvent tôt » – il dit comprendre ce qu'il désigne comme une « révolte », tout en ayant mis en garde son fils de ne pas se faire entraîner dans un cycle de violence.

Il y a eu des annonces où on m'a dit carrément: «On ne loue pas aux Antillais»! Pour la première fois j'étais comme un chien, je n'avais pas de toit.

Christine, 42 ans, née à la Martinique[1]. *Avec elle, vers Bastille*

J'ai vécu chez mes parents jusqu'à 19 ans, à [...]. Dans une maison à étage. En 82, on n'était plus avec le Bumidom mais c'était l'ANT, je suis venue en France, à Dieppe, pour préparer des concours. On formait là pour les concours dans l'administration, et pour être infirmières. J'ai passé cinq concours dans des écoles d'infirmières, j'ai été reçue dans quatre. Mon père a eu une commotion quand j'étais dans l'avion pour la France [...] j'avais pas de revenus. Je suis allée en psychiatrie car ces études étaient payées avec le logement aussi, alors que les autres non. Mes copines allaient en boîte, sur Paris. Pas moi.

J'ai vécu à la Queue-en-Brie, avec confort et salaire. De plus, l'hôpital avait passé un accord avec les 3F: après un an d'école, j'ai eu un vrai logement, un F3, un bel appart. J'ai eu un contrat de cinq ans, puis un diplôme d'État d'infirmière. J'ai alors été mutée à l'Assistance Publique des hôpitaux de Paris, l'APHP.

Je vivais dans des immeubles où il y avait seulement du personnel hospitalier, on se connaissait tous. Là-bas j'ai connu des Antillais qui étaient infirmiers ou cadres, j'ai jamais souffert car j'ai été intégrée à ce groupe, des copines avaient leurs copains dans la police, des infirmiers, etc. Ma meilleure amie était une Française, mes amies... mes plus proches c'est des Blancs, c'est vraiment sympa. J'allais tous les six mois en vacances aux Antilles: quand on retourne

1. Relogée en F4 dans le privé, à Aulnay-sous-Bois. A 2 enfants de pères différents. Vit avec le père de son deuxième enfant resté dans son F3 obtenu en Martinique. Cadre supérieur en milieu hospitalier, elle est venue seule en Métropole pour suivre une spécialisation. A été victime de discrimination au logement.

souvent, on a envie de retourner chez soi. De plus mon fils était asthmatique, gravement malade, il passait six mois sur douze à l'hôpital, il faisait de grosses allergies alimentaires. Or quand on allait en vacances, il n'avait plus rien : on a fait le choix de repartir aux Antilles, chose qui a payé puisqu'il est guéri.

Quand je suis retournée en Martinique en [...], je suis arrivée chez ma mère quelques mois, puis j'ai eu un logement parmi les réservés aux gens qui reviennent de Métropole : en trois jours j'ai trouvé ! J'ai jamais eu de problème de logement. Un F3 sympa, sur la Caravelle avec la mer devant et derrière. Le matin quand je me levais j'entendais le bruit des vagues. J'ai connu alors les premières discriminations, mais aux Antilles ! Du fait de ma formation en psychiatrie et en soins généraux, et le programme je l'ai fait deux fois donc ça forme... À l'AP j'ai travaillé dans des services de pointe : grands brûlés et greffes de foie. Alors quand on arrive aux Antilles, elles ont dix ans de retard sur la prise en charge sanitaire et sociale : on se trouve au niveau des régions du Nord, style Pas-de-Calais. Quand on arrive formé sur le modèle français, avec la rigueur, en étant passé dans des services qui n'existent pas chez nous ça fait que le compatriote a un regard négatif sur nous car il nous trouve prétentieux, qu'on agace, qu'on les renvoie à leurs propres compétences, on oblige les autres à être au niveau. On les renvoie à leurs pratiques qui sont parfois mauvaises. En tout cas on remue des choses. Ne serait-ce qu'un malade qui sonne, on ne répond pas car « c'est comme ça », sans compter les attitudes pas très polies avec les malades. Au lieu de prendre ce qu'il y a de riche en l'autre qui arrive, on le rejette : j'ai plus ressenti de rejet en arrivant aux Antilles qu'en France, professionnellement je veux dire.

Puis mon employeur m'a proposé de passer cadre, ce qui là m'a valu un rejet total ! J'ai rencontré le père de mon deuxième fils là-bas, il est fonctionnaire de police, il avait aussi été muté en Martinique, on était donc sur la même longueur d'onde, on passait plus de temps au boulot que chez nous. Je suis revenue un an en France avec mes deux fils ; en Martinique tout le monde m'attendait… « je couchais avec untel, j'étais la mère d'untel ». Il faut savoir que depuis dix ans ils n'avaient pas formé de cadres : c'est pour ça que ça a fait du bruit ! On a un renouvellement des cadres avec pas seulement des Blancs : des gens de terrain, qui connaissent le pays. Il est pas dit que les gens acceptent d'être commandés par des Antillais : les « gens » c'est des hommes antillais, qui n'acceptent pas d'être commandés par nous des « petites » femmes, antillaises… C'est des choses que je n'ai pas connues en France.

Je suis ici pour préparer un master en management de gestion des soins. Quand j'étais venue un an j'avais eu une prime de 32 000 francs, le logement, les billets d'avion et les livres payés, etc. Là je me suis mal débrouillée, j'aurais pu avoir le logement payé, mais par pudeur et vis-à-vis de ce que disaient les gens… J'ai eu un peu peur de trop demander, comme j'ai bénéficié de beaucoup d'avantages, à force ça fait un peu assisté ! J'avais fait des démarches auprès d'un ami depuis la Martinique, avec procuration pour qu'il me signe le bail. Il m'avait dit que j'avais le logement : un F4 à Blanc-Mesnil. Il connaissait l'ancien locataire et était censé s'occuper des démarches pour nous faire rentrer dans le logement. Le père de mon fils était allé visiter, tout était OK. En fait mon ami m'a raconté des conneries. Il nous a tenus en haleine depuis avril ! Ça traînait mais comme les enfants devaient rentrer à l'école, j'ai pris le risque de partir en envisageant de chercher sur place si il y avait un problème. Comme les papiers arrivaient pas pour le F4, avec le net depuis la Martinique comme il y avait des offres de logement en pagaille, je me suis dit pas de problème. On me disait de venir visiter. Donc je me suis dit il fallait venir… j'appelais tous les jours depuis mai.

En août je suis allée en France chez ma belle-sœur, pensant que je n'y resterais que quelques jours ! Et voilà la grande surprise : dès qu'on entendait le son de ma voix avec l'accent créole, on me disait « le logement est loué ». Je me suis pas rendue compte tout de suite et un jour mon fils aîné m'a dit qu'il allait le faire à ma place car il avait remarqué que lui, ça marchait quand il appelait. Il y a eu des annonces où on m'a dit carrément : « on ne loue pas aux Antillais ! » Puis il y a eu l'agence [...]. À partir de là avec la désagréable surprise, j'ai fait le 93, le 95... il faudrait le vivre pour comprendre ! Pas une fois on m'a proposé quelque chose en me disant « peut-être ». Il faut voir hein ! J'ai pleuré, vraiment l'enfer ! On dormait à trois dans le lit chez ma belle-sœur. Je veux souligner la malhonnêteté des gens : ils m'ont demandé à chaque fois un document supplémentaire :

- un justificatif employeur disant que j'allais être payée, je l'ai donné ;
- ensuite une caution, je l'ai fournie ;
- un certificat de résiliation aux Antilles, ils l'ont eu ;
- puis ils m'ont demandé un RIB en France, je leur ai dit qu'en une heure je pouvais le donner...

Ils pouvaient pas me coincer ! À chaque fois, ils sont allés jusqu'au bout, ou alors ailleurs on me disait la même chose : leur assurance refuse de me louer le logement ! Dans une agence on m'a dit : « il faut gagner trois fois le loyer », j'ai dit « oui », là elle me dit qu'elle s'est trompée, qu'en fait c'est quatre fois... et là aussi j'étais encore à 200 euros au-dessus ! L'appartement il est encore vide, je suis passée devant hier ! J'ai finalement obtenu un F4 à Aulnay-sous-Bois. Le règlement stipule que le locataire doit faire partie de « la classe bourgeoise » !

On est passés d'une situation confortable à rien : comme j'étais chez ma belle-sœur je faisais tout pour qu'elle me supporte : la vaisselle, les courses, nettoyer les WC... j'étais diminuée ! Pour la première fois j'étais comme un chien, je n'avais pas de toit : pour inscrire les enfants il fallait mon adresse, je n'en avais pas ! J'avais besoin que ça sorte, ça m'a fait du bien de vous en parler !

Décryptage(s)

Un « procès-verbal » de Christine a été relevé, quelques jours après qu'elle ait été victime de discrimination dans une agence. En voici les principaux extraits :

> Lors de mon entrevue avec [...], celle-ci m'a confirmé la disponibilité des logements. Après m'être arrêtée sur un premier choix d'appartements au prix moyen de 700 euros nets mensuels, madame [...] m'a déclaré qu'il était préférable de prendre un appartement de 900 euros « mieux adapté pour la surface, pour la distance par rapport à mon lieu de travail ». J'ai accepté sans problème.
>
> Elle m'a précisé qu'il fallait des revenus équivalents à trois fois le loyer. Disposant d'un salaire de 3000 euros, cela ne représentait pas un problème pour moi. Elle m'a déclaré que finalement elle avait déjà un rendez-vous avec quelqu'un pour le logement.
>
> Elle a appelé devant moi le demandeur, qui lui a alors signalé qu'il n'était plus intéressé par l'offre. Je lui ai alors demandé d'aller le visiter, c'est alors qu'elle m'a annoncé qu'il y avait un problème par rapport au lieu de déclaration fiscale 2003-2004, en Martinique. Car la Martinique, selon ses termes, « ce n'est pas la France ». Je lui ai alors signalé qu'il s'agissait là d'une discrimination et que j'informerais le CMAI et mon avocat. Elle m'a alors rétorqué que ce n'était pas l'agence [...] mais les assurances qui s'opposaient, car selon ses termes « lorsque l'on passe l'océan, les lois ne sont plus les mêmes ».
>
> Face à ma détermination, elle m'a annoncé gentiment : « vous avez failli me faire pleurer ». Je suis restée calme, et elle m'a proposé une ultime solution, à savoir trouver un avaliseur en Métropole qui gagnerait 3000 euros par mois. Elle m'a promis de me recontacter dans l'après-midi après avoir consulté les différentes assurances.

Ils ne l'ont jamais rappelée. Cet énoncé nous livre dans le détail les différentes barrières mises pour dissuader Christine, allant crescendo dans la mauvaise foi et l'ineptie. Un courrier envoyé à l'agence par le CMAI a eu pour seule réponse que les assurances avaient refusé de s'engager pour madame… Quant aux propos qui auraient été tenus à l'agence, dénoncés dans le courrier qui leur fut adressé, notamment celui de dire que « la Martinique ce n'est pas la France », n'ont pas été démentis par l'agence incriminée puisqu'ils ne sont pas revenus dessus, dans leur réponse reçue en retour au CMAI. Ils assument donc de fait les propos qui leur sont reprochés par Christine.

À l'issue de l'entretien, Christine me donna toute une boîte de cartes de visite des agences rencontrées, en me disant qu'elle n'en voulait plus. Je lui rendis, et elle me proposa alors de l'accompagner chez chacune d'elles pour récupérer ses dossiers, en leur demandant de but en blanc d'expliquer les « blocages » qu'ils lui ont fait subir. Finalement, lasse et souhaitant tourner la page maintenant qu'elle avait retrouvé un logement, elle ne donna pas suite à son intention de poursuivre ces agences discriminatrices.

Christine présente la particularité intéressante d'avoir vécu relativement longtemps et en Métropole et en Martinique, sur plusieurs périodes, ce qui nous permet de comparer les contextes qu'elle a pu connaître tant dans son évolution professionnelle que pour ses démarches de recherche logement, sur chaque rive.

Tout d'abord, dans ce parcours on peut constater les épreuves rencontrées par les Ultramarins désireux de rester Outre-Mer, pour accéder au statut de cadre supérieur :

- va-et-vient obligatoire entre la Métropole et le DOM, pour la formation, et obligation de se réadapter à chaque retour au « pays » tout en essayant de maintenir sa vie familiale en bon ordre (départs d'un an avec le concubin resté en Martinique) ;
- décalage voir menace que cette évolution représente par rapport aux collègues de travail « compatriotes »,

notamment les hommes peu désireux d'être commandés par une « petite femme », etc.

À une bonne « intégration » en « France » durant sa jeunesse, tant par le travail que le logement, facilitée par les avantages offerts durant la formation et dans la profession (le choix de sa spécialisation a aussi été fait en fonction de ces avantages), Christine est tombée des nues en ayant à subir finalement non pas une, mais deux discriminations, à la fois en Martinique sur le plan professionnel, et en Métropole dans sa recherche logement :

- C'est à son retour en Martinique qu'elle déclare avoir vécu sa première discrimination, au travail ; son parcours sans faute en Métropole et la volonté de continuer à monter en grade en retournant se former en « France » même une fois revenue s'installer en Martinique, lui a été reproché de façon insidieuse, dans la pratique de son métier, au quotidien. Elle précise ne pas avoir vécu cela en « France ».
- Et à l'inverse des conditions favorables qu'elle a connues durant ses études en Métropole pour se loger, même lorsqu'elle n'était revenue qu'un an après être retournée s'installer en Martinique, elle a eu à subir par la suite le parcours de tout Ultramarin échappant aux avantages offerts dans certains cas par la fonction publique : la discrimination au « faciès », et non sur critères économiques, madame étant pourtant on ne peut plus sûre comme locataire bon payeur.

Ce témoignage nous montre en tout cas la double difficulté à laquelle est confronté chaque ressortissant des DOM-TOM venu en Métropole : le difficile départ et le douloureux retour.

Et si on suit le cas de cette dame, à la domination des « Blancs » métropolitains sur les « Noirs » martiniquais risque de se substituer dans le travail une autre forme de hiérarchie de commandement cette fois interne à la société antillaise, entre les femmes formées à haut niveau en Métropole, et les hommes restés « au pays ».

Les détails fournis par Christine sur les tentatives de découragement faites en agence, sont éloquents.

L'enchaînement des arguments de plus en plus ouvertement discriminants, est le suivant :

- Tout d'abord, on fait barrage sur les appartements encore abordables pour le bas de la classe moyenne, en déclarant qu'ils ne sont pas appropriés pour le demandeur sous le prétexte qu'il a besoin de plus d'espace... On évacue donc le critère purement financier, pour le remplacer par un autre qui doit normalement n'être qu'à la seule appréciation du demandeur dans le cas présent, à savoir l'espace intérieur.
- Puis lorsque la tentative de découragement sur des critères « d'espace » ne suffit pas, le prix élevé n'étant pas un obstacle apparemment suffisant, on passe à une autre tactique, à savoir que le logement est déjà réservé à d'autres personnes. Nouvel échec, la personne pressentie s'étant désistée.
- On en vient alors à des arguments plus ouvertement discriminants, qui stipulent que les DOM-TOM et la Métropole n'obéissent pas aux « mêmes lois ». Faisant état du caractère discriminatoire de la situation dont elle est victime, Christine se voit rétorquer oralement puis par écrit que ce sont les assurances qui refusent.

Ainsi, il semble que ces « lois qui ne sont pas les mêmes une fois passé l'océan », soient plutôt celles qui existent ici en Métropole entre les Français d'origine non coloniale, et les autres, notamment les Ultramarins. Et on n'est plus dans le cadre d'une « loi » orale consensuelle, mais bien d'une règle écrite et assumée comme telle par les agences dans toutes les grandes villes de Métropole, qui n'ont pas hésité à répondre par courrier à Christine ou à tant d'autres Ultramarins que ce sont « les assurances qui refusent » (à

SOS Racisme d'autres courriers identiques m'ont été présentés par Samuel Thomas alors vice-président, notamment venant de Toulouse).

Finalement, Christine a trouvé à se loger à Aulnay-sous-Bois, dans une banlieue qui connaît déjà une importante communauté antillaise.

Ou comment la ghettoïsation est une des rares réponses offertes pour se loger quand on est « de couleur », même quand on a les revenus suffisants pour se loger là où on le souhaiterait !

Samuel Thomas nous explique les mécanismes de discrimination et de ségrégation qui sont à l'œuvre entre logement public et privé, à l'encontre des Français d'Outre-Mer en région parisienne. Il avait rencontré Christine dix ans auparavant, à mon invitation, pour la soutenir dans une procédure contre l'établissement l'ayant discriminée. Mais elle, lasse, ayant trouvé entre-temps un autre logement dans une zone à forte présence antillaise, s'était ravisée, et n'avait pas donné suite. C'est ce manque de persévérance dont se plaint Samuel Thomas – et on peut comprendre bien entendu l'épuisement des personnes discriminées – considérant que la communauté antillaise gagnerait à attaquer plus systématiquement afin de lutter plus efficacement contre les discriminations et la ségrégation dont elle est trop souvent victime :

> Ici à la Maison des Potes on a eu de nombreux étudiants de Guyane, de la Réunion, de Martinique ou de Guadeloupe qui étaient en service civique et cherchaient à louer dans Paris. Des agents immobiliers dans le logement privé refusaient leur dossier en prétendant que l'assurance ne pouvait pas garantir le paiement du loyer parce que la caution qu'ils avaient fournie était Outre-Mer. Et ils prétendaient qu'il était plus difficile de récupérer une caution en Outre-Mer qu'en Métropole, alors qu'un huissier de justice, pour faire son office, re-

çoit pareillement un fax à Pointe-à-Pitre ou à Toulouse ou n'importe où ailleurs en France. La République à l'ère d'internet et du téléphone c'est rapide ! Donc on a réussi à épingler un certain nombre d'agents immobiliers. Par rapport à ça on avait fait des enregistrements, des *testings* ; on avait interpellé la FNAIM et Patrick Karam qui était alors délégué interministériel à l'égalité des chances des Français de l'Outremer. La FNAIM s'était alors engagée à diffuser dans toutes ses agences qu'il fallait mettre un terme à cette discrimination liée à l'assurance par rapport à la caution. Et on a eu le sentiment que ça a eu un impact puisque l'on a stoppé ces pratiques de discrimination, en tout cas les plus flagrantes, celles qui se faisaient sous prétexte de l'assurance. Dans le même temps, la discrimination dans le logement privé continue d'une manière a priori aussi forte contre les Noirs... davantage même que dans les organismes HLM car c'est quelque chose qui est toléré peut-être plus facilement car celui qui est discriminé se dit : « Bon, on ne veut pas de moi je cherche ailleurs ».

Concernant cette différence de traitement donc, dans le logement public, pour un logement identique mais un quartier différent, on va accepter de prendre des Noirs mais pour les envoyer dans les quartiers où on n'arrive pas à louer l'appartement. Donc on va leur dire oui il y a des logements, mais c'est là où personne ne veut aller. Et dans le logement privé, les gens qui sont noirs vont accepter de payer plus cher pour moins de surface, et on va profiter du fait qu'ils ont moins de choix pour leur faire payer plus cher des appartements moins grands.

PARIS INTRA-MUROS, PAR CHOIX
CES CLASSES SUP' CONNECTÉES SUR LE MONDE

J'ai toujours su qu'on a plus de problèmes quand on loue que quand on achète. J'ai trouvé en location grâce au CMAI. Je suis devenu locataire par obligation, par nécessité. J'espère que je vais pas rester longtemps en location et que je vais pouvoir bientôt acheter.

Jean-Michel, 55 ans, né à la Martinique[1]. *Au café du coin, près de chez lui, Buttes Chaumont*

En 1974 je venais de perdre mon poste à la banque ; je suis donc venu ici pour travailler. Je suis venu chez mon frère à Maurepas, dans le 78. C'était une maison, F4, avec sa femme et ses deux enfants. Après quelques mois, j'ai trouvé mon emploi à la RATP et après j'ai trouvé un logement, un F2, toujours à Maurepas. En 1978 on a acheté une première maison après que mon épouse soit rentrée ; elle avait trouvé un travail dans une entreprise de BTP, comme comptable. En 1986 on a acheté un F4-F5 de 110 m², avec un grand séjour, un standing plus amélioré.

J'avais plein d'amis maurepasiens dans mon panel, pas d'Antillais. J'ai fait de la politique avec un ami qui briguait la mairie, qu'il n'a pas eue. Je gardais le lien avec les Antilles, j'avais dans la tête d'y retourner.

En 1997 j'ai pris une dispo de la RATP avant de rentrer en Martinique. Ma femme m'a rejoint en 1998, et ma fille en 1999. J'avais un mini-projet, mais que j'ai pas suivi : au lieu de me lancer dans le tourisme, finalement j'ai acheté une quincaillerie. Ma femme aurait travaillé avec moi, je voulais quelque chose qui me fasse vivre décemment là-

1. Propriétaire d'un F2 à Montreuil. Locataire dans un F4 suite à l'appui du CMAI, dans le 19e. Vit avec son épouse, sa petite-fille et sa fille unique (35 ans). Ils ont réuni leurs salaires pour l'obtention du logement. Cadre à la RATP, il est revenu de Martinique peu avant cet entretien après une mise à disposition.

bas, et je voulais faire de la politique, j'aurais investi, avec ma fille aussi qui a quand même bac +6.

En arrivant j'ai logé chez ma mère dans le centre de Fort-de-France, elle avait un restaurant qui a fermé là-bas. Quelques mois… Entre-temps j'ai construit à Sainte-Luce, 3 chambres plus un séjour double. Ça s'est pas bien passé, j'avais un accord avec ma mère et ma sœur, qui n'ont pas tenu parole. J'ai ouvert une entreprise qui a périclité, je pouvais pas rester là-bas sans boulot. J'avais fait abandonner son poste à ma femme qui avait négocié son départ. Elle a travaillé avec moi dans l'entreprise mais comme l'entreprise marchait pas… elle a retrouvé un boulot de comptable dans une autre entreprise locale martiniquaise. Ma fille elle est rentrée avec son mari, auquel on a trouvé du boulot aussi, par nos contacts. Ils ont habité chez moi, il m'a aidé à terminer la maison ; on a cohabité ensemble pendant deux trois ans. Ma fille avant ça vivait dans son appartement chez elle, en France, avec son mari, à Paris même. Moi je suis très attaché à la famille donc j'étais très heureux.

Quand j'ai mis la clé sous le paillasson avec la perte de l'entreprise en 2001, je suis revenu le premier, seul. Ma femme, après quatre ans, a décidé de me rejoindre définitivement. On faisait la navette entre-temps. Elle vivait avec sa fille dans notre maison, à Sainte-Luce ; ma fille m'a rejoint en juin 2005, ma femme en octobre. Quand je suis revenu, mes amis de Maurepas m'ont tendu les bras, même si j'étais à Paris… j'ai pas eu trop affaire à eux. Ma fille est venue en stage dans l'immobilier, et ma femme est sur une piste, en intérim. Je vais louer la maison dans un premier temps, et sûrement la vendre ensuite. Quand je suis revenu, j'ai été réintégré à la RATP. Ma fille avait un appartement dans le 11e, elle était locataire, c'était à côté de mon boulot, donc parfait. Elle l'avait gardé, comme il était question que je revienne ; il y avait ce petit beau-frère qui payait. Quand je suis revenu on s'est arrangés, on lui a trouvé ailleurs et moi j'ai réintégré l'appartement. En 2003 j'ai acheté un F2 à Montreuil ; mais comme c'est devenu trop petit pour nous quatre, j'ai décidé de le mettre en location et de venir habiter ici.

J'ai toujours su qu'on a plus de problèmes quand on loue que quand on achète. J'ai trouvé en location c'est grâce au CMAI. J'étais pas partisan de la location : je suis devenu locataire par obligation, par nécessité. J'espère que je vais pas rester longtemps en location et que je vais pouvoir bientôt acheter. Ici on est en F4. On est à trois salaires dessus, sinon ça n'aurait pas été accepté par le bailleur. Mais c'est une solution provisoire : ma fille sera appelée à être chez elle, mon épouse et moi on va se retrouver à la retraite. Dans un an, en France. Je pense pas avoir droit aux 40 % là-bas. Je devrais m'arranger si je retourne pour améliorer la retraite. Dans l'immédiat ma tête est pas prête à ça. Paris *intra muros* c'est mieux. Je voulais bien la banlieue mais pas trop loin quand même, mais les dames préfèrent Paris, pour les magasins… Je garde le F2, je compte bien en acheter encore quatre ou cinq, Paris, banlieue ça m'est égal si c'est pour louer, pour investir. Acheter dans l'immobilier c'est le plus sain et le plus sûr, c'est un placement qui se fructifie.

Décryptage(s)

La résidence de Jean-Michel est de bon standing ; sa fille étant occupée à faire manger la petite-fille, nous nous retrouvons finalement dans un bar du coin. Après la phase des présentations qui s'éternise un peu, il ne se livre toujours pas facilement sur son parcours et sur son difficile retour en Martinique. Lui faisant part de ma propre expérience aux Antilles, mes réussites et mes échecs, il finit alors par se lâcher. Il me parle des liens qu'il avait développés dans le milieu politique et des affaires là-bas, depuis Paris (il se rendait régulièrement en Martinique), auprès de personnes lui ayant promis de le soutenir dans son projet de monter une entreprise dans le tourisme, mais qui le laissèrent tomber une fois installé sur place. Il m'avoue être « écœuré » par ces gens, et s'il n'a pas renoncé définitivement à retourner en Martinique pour sa retraite, il opte cependant plus ouvertement pour rester en Métropole et y faire quelques affaires immobilières (achat pour ensuite louer plusieurs petits F2). Il conclut l'entretien en me faisant remarquer : « Il ne faut pas croire, mais Dieu est puissant. »

Mais si Dieu fait des miracles, Jean-Michel est pour beaucoup dans son ascension. Fervent partisan de la propriété immobilière, à peine quatre ans après son arrivée en Métropole, il acheta une maison avec sa femme, dans la même commune où son frère, également propriétaire en individuel, l'avait hébergé. Il améliora ensuite son standing huit ans après sa première acquisition en choisissant plus grand, toujours dans la même commune de banlieue plutôt aisée, Maurepas.

L'achat du logement a toujours été préféré par Jean-Michel à la location. La cinquantaine entamée, il décide alors de retourner s'installer au pays, pour préparer sa retraite. Il vend alors son bien immobilier acquis en Métropole et fait construire en Martinique à la fin des années 1990, en faisant venir sa femme mais aussi sa fille et le mari de cette dernière, un métropolitain. Car son projet élaboré depuis la Métropole n'avait qu'un objectif : investir en Martinique pour lui et sa famille, dans un domaine qui lui aurait permis selon lui de participer au développement, par le tourisme. Engagé en politique en Métropole, il s'appuie sur des personnes clés liées au monde des affaires et connectées à des élus en Martinique, pour monter son entreprise. Mais ce qui lui avait été promis avant de venir, n'est pas suivi une fois installé sur place : le retour en Martinique est un fiasco, Jean-Michel y laisse deux millions de francs investis, et il perd toute confiance en ses amis, et même en partie en sa famille qui l'avait pourtant hébergé dès son arrivée, mais ne l'avait pas suivi dans le volet financier de son projet.

Ce genre de déconvenues a été vécu par d'autres personnes enquêtées, non évoquées dans cet ouvrage, qui pensaient bénéficier de soutiens politiques suffisamment solides pour réussir leur retour « au pays » juste avant leur retraite, mais ont dû revenir, dépités, en Métropole, ayant été lâchés selon eux, aux Antilles.

Le logement de sa fille gardé tout de même à Paris en sous-location au sein de la famille (le frère du mari de sa fille) permit à Jean-Michel de se réinstaller en Métropole dans un logement situé près de son lieu de travail. Deux ans après son retour (2003), il décide de redevenir propriétaire en achetant un F2 à Montreuil. Il s'y installe, mais souhaitant faire revenir sa famille (femme, fille et petite-fille) auprès de lui, il loue son appartement et trouve finalement à se loger à Paris, dans un F4, mais avec le soutien du CMAI qui l'invite à mettre trois salaires dans la balance pour l'obtenir. Avant d'y arriver, les couples se sont retrouvés séparés plusieurs années le temps de régulariser la situation en Métropole (monsieur se chargea de trouver un logement d'abord pour lui et la famille en location sur Paris, et madame devait se retrouver un emploi après avoir eu à en faire de même dès son retour aux Antilles). La solidité de ces foyers est mise à rude épreuve et il est impressionnant de voir avec quelle détermination les couples tiennent, malgré la période parfois de plusieurs années à faire le va-et-vient entre le DOM et la Métropole.

Pour Jean-Michel, le retour en Martinique à la retraite, après l'expérience malheureuse vécue, n'est cependant pas compromis, malgré son sentiment d'amertume : il n'a pas fait une croix sur son pays, mais il refuse dès lors d'y investir dans quoi que ce soit. L'investissement se fera en région parisienne, dans l'immobilier. Ainsi, à nouveau, le rapport centre/périphérie entre les DOM-TOM et la Métropole se pose de façon significative dans la problématique du logement des Parisiens originaires d'Outre-Mer, ici l'exemple de l'accès à la propriété étant traité dans sa complexité et à distinguer selon plusieurs phases successives, des années Bumidom à aujourd'hui. D'autres Antillais que monsieur, issus eux plutôt des classes modestes mais ayant pu gravir les échelons à force de dur labeur en Métropole depuis les années 1970, dans les entreprises de service, la restauration, etc., mais aussi dans la fonction publique en multipliant les heures supplémentaires, ont obtenu leur logement en propriété, également en réponse à la discrimination dans l'accès au logement par la location, selon Pierre Pastel. Cet ethnopsychiatre d'origine martiniquaise installé en Métropole depuis plusieurs décennies qui a participé à des recherches sur la ségrégation urbaine, considère que si les Antillais sont moins « visibles » que les autres communautés, ils avancent cependant sans passer forcément d'une catégorie sociale à une autre, mais en changeant de stratégie, comme il me le précisa lors d'un entretien à son cabinet :

> Il y a une grande évolution dans l'habité des Domiens par rapport aux années 1970 et 1980. Pour éviter les conflits et souffrances causés par la discrimination, les Antillais achètent ! Cela est mal connu mais ils l'ont fait à Bondy, Cergy, le Vexin, dans de nombreuses villes nouvelles où Paris a acheté dans les années 1970 et 1980 après avoir vidé la capitale de ses Maliens et de ses Antillais. À Hormont, Moissel, les Antillais ont des pavillons de très grand standing ! Les Antillais ont profité des crédits à taux zéro, et s'ils ont moins acheté par exemple que les Sri-Lankais arrivés dans les années 1980 qui eux ont eu une pénétration fulgurante, en revanche ils ont beaucoup plus acheté que les Domiens des années 1970 et 1980. On avance, même si dans la visibilité on a l'impression qu'on avance moins vite que les Maghrébins, les Sri-Lankais, les Africains. Si la catégorie sociale ne change pas, par contre c'est la stratégie

qui change ! Les Antillais ont travaillé pour leur propre promotion :

– Les Chinois pour faciliter la venue d'une clientèle antillaise chez eux, embauchent les Antillais pour la manutention, pour placer les produits dans les rayons, etc. Je connais deux gars qui font ça depuis 15 ans, et ils ont acheté leur maison ! Ce n'est pas les 35 heures !

– Nos amis des PTT aussi, les agents hospitaliers, ils ont multiplié les heures sup'.

Si l'on s'en tient au cas de Jean-Michel, une ultime phase s'offre alors aux Antillais : investir dans la pierre en région parisienne pour louer ensuite. Est-ce une réponse de ceux ayant échoué dans leur tentative de retour pour travailler « au pays », préférant revenir en Métropole, ou n'est-ce pas une tendance plus générale qui se dégage, futurs retraités repartant avec succès au pays y compris, l'investissement en banlieue parisienne y étant jugé, peut-être, plus rentable à terme que dans les DOM-TOM ?

La discrimination envers les Noirs – tant décriée – à laquelle ces acquéreurs auraient pu souhaiter échapper en devenant propriétaires pour se loger, selon Pierre Pastel, va-t-elle être combattue en réservant la location du logement acheté uniquement à des membres de leur communauté antillaise ? Ou à une autre susceptible également d'être ostracisée ?

> Tout le *lakou*[1] a été emporté par un raz-de-marée: tous nos voisins sont morts. [...] tous les Antillais étaient dans le 15e; en 1949 c'était comme ça. Et pour les grandes personnes, il y avait Blomet, c'était depuis la guerre, le Bal Nègre[2].

Marylin, 63 ans, née en Guadeloupe[3]. *Chez elle, dans le 15e*

J'ai grandi à Basse-Terre. Ce dont je me souviens c'est de la maison… j'habitais dans une petite cour, c'était un *lakou*: vous aviez un portail sur la rue avec un petit chemin où on arrivait, et il y avait des petites maisons. Je me rappelle il y avait un gros arbre, un quenettier, et le principal du *lakou* c'était une grosse pierre, un gros galet, et on s'asseyait le soir pour écouter les contes. Il y avait une dizaine de maisons accolées, je l'ai en tête.

Il y avait chez nous une porte, une grande salle avec une cloison, une chambre, et la cuisine était extérieure, côté cour! Je vivais avec ma maman, puis mon petit frère et ma petite sœur. Mon papa ne m'avait pas reconnue, il était juge de paix, fils de famille bourgeoise, un mulâtre… ma maman était une petite bonne. J'ai été élevée par ma maman et ma marraine; et ma marraine est rentrée en France. Elle nous a fait venir maman et moi: maman elle devait venir avec ses trois enfants mais elle a eu peur de la vie, elle avait 26 ans, c'était après la guerre, c'était un grand voyage. Elle a laissé mon frère avec la marraine, et ma sœur avec son père.

Je dois te raconter quelque chose du destin sur le *lakou*. On devait prendre le bateau pour rentrer en France…

1. La cour, en créole.
2. Célèbre cabaret dansant antillais créé en 1924 baptisé le Bal Colonial. Il est célèbre sous son nom passé à la postérité, le Bal Nègre.
3. Propriétaire d'un grand deux pièces (53 m^2), dans le 15e. Ancienne hôtesse de l'air, reclassée après un accident de vol.

et maman croyait que le bateau faisait Guadeloupe, Martinique et France : c'était un bananier italien. On prend le bateau très tôt le matin à Pointe-à-Pitre, or là où on habitait, maman avait vendu ses meubles à une dame qui devait les prendre après notre départ.

Une fois à Fort-de-France, on lui dit que le bateau revient à Pointe-à-Pitre… et quand on revient – je te raconte comment maman m'a raconté – sur le bateau les gens la regardaient et lui demandent : « Qu'est-ce que tu fais là ? » Et on apprend que tout le *lakou* à 6 h 30 du matin a été emporté par un raz-de-marée : la rivière aux herbes est sortie de son lit ! Nous, on était parties quelques heures avant de Basse-Terre pour monter sur Pointe-à-Pitre.

La dame a pas eu les meubles… mais le pire c'est que tous nos voisins sont morts. Et la cour – j'ai essayé de la retrouver plus tard – a jamais été reconstruite !

J'arrive en France à 7 ans, à Cannes… il faisait beau, en octobre. Et on prend le train pour arriver à Paris, à Gare de Lyon, après la guerre, en octobre, où il faisait froid, gris, et là j'ai dit à ma mère : « c'est ça la France ? Viens, on retourne ! »

On est allées au 15 rue Mademoiselle, dans le 15ᵉ, qui est un hôtel : ma marraine habitait là, et tous les Antillais étaient dans le 15ᵉ ; en 1949 c'était comme ça. Il y avait le bal antillais du 15ᵉ, tous les samedis soir : il y avait Salvador, Lavigny Gérard, et plein d'autres, Barel Coppet, un musicien clarinettiste de la Martinique, etc. À la mairie du 15ᵉ. Et pour les grandes personnes, il y avait Blomet, la rue Blomet, c'était depuis la guerre, le Bal Nègre, toujours dans le 15ᵉ.

Puis ma mère a pris une chambre de bonne, rue Rosa Bonheur, près de Sèvres-Lecourbe. C'était tout petit petit : maman faisait la cuisine sur un tout petit réchaud à gaz, il y avait son lit et il y avait mon lit, c'est tout ce dont je me souviens dans cette pièce. Ma mère sortait la bombonne de gaz la nuit : elle avait peur que ça fuit et ça faisait plus de place aussi.

La semaine j'étais chez une famille nourricière qu'on appelait « chez les particuliers » : c'était des Juifs. Là où j'habitais, j'avais pas le droit d'aller dans une pièce du fond. Un jour, j'étais seule dans l'appartement, et j'ai vu un squelette arriver… la personne était tellement décharnée : ça devait être une personne qui avait été déportée, elle n'avait plus du tout de chair, c'était une petite dame.

Moi tous les dimanches ils me mettaient au Cirque d'Hiver, ces gens-là y avaient travaillé… J'adorais !

Puis on m'a mise en pension chez les religieuses, maman était toujours dans le 15e, dans une autre chambre de bonne, un peu plus grande. Elle avait un fauteuil-lit, on sortait la chaise et la table la nuit, car mon frère était arrivé en France : il avait des problèmes de délinquance en Guadeloupe, donc la marraine l'a envoyé en France ! Ma mère dormait avec moi. On allait aux bains-douches deux fois par semaine, dans le 15e, boulevard Montparnasse ; on avait l'évier dans la chambre pour le reste de la semaine.

À 14 ans j'ai été renvoyée de pension : j'étais une forte tête, j'avais refusé de faire des excuses à une religieuse que j'avais traitée de menteuse pour une histoire de gâteau qui manquait…

Ma mère s'était mariée depuis quatre ans, et j'ai pris le nom de son mari : c'était un Blanc du Nord, un Chtimi ! Quand je suis sortie de pension elle avait déjà divorcé… et elle a rencontré des gens durant le ménage qui l'ont prise comme fille adoptive : lui, c'était le doyen de la Sorbonne, président des sociologues, monsieur […]. C'est devenu mon grand-père, ma mère qui était analphabète est allée aux cours du soir, puis elle est entrée à l'hôpital des Invalides comme fille de salle, elle est devenue standardiste. Elle a acheté son appartement dans le 15e en 1957, un deux-pièces cuisine, où elle est toujours.

Moi j'habitais alors avec ma mère, c'est aussi parce que j'étais sortie de pension qu'elle a acheté quelque chose de plus grand. Mon frère lui était pensionnaire et venait le week-end. Je pense qu'elle a dû être aidée par sa famille « adoptive » pour acheter, et qu'elle a pris un crédit.

En 1959 je suis partie chez ma marraine car elle avait épousé en 1953 un Camerounais qui était devenu le directeur du port de Douala. Elle l'a connu en France. J'ai travaillé dans le port, au parc à bois, j'ai pu économiser, et on m'a renvoyée en France car j'avais encore fait des miennes : je suis tombée amoureuse d'un homme marié, un Blanc, et on m'a virée !

En arrivant ma mère m'a mise en contact avec le propriétaire de son appartement qui m'a vendu un petit studio… dans le 15e, rue Brancion ! Près de la Porte de Vanves. C'est lui qui faisait ses crédits, comme pour ma mère : c'était un avantage, on avait pas à passer par la banque !

Ma mère a alors connu son mari, un colonel, ancien chef de cabinet d'une haute autorité de l'État. Ma mère a toujours été « il faut acheter ! » Elle a acheté aussi l'appartement d'à côté avec le colonel et une maison de campagne avec lui ; elle a aussi hérité d'un studio des [famille « adoptive »] à Antibes. Moi je suis partie en Angleterre en 1964 pour apprendre l'anglais car je voulais être hôtesse de l'air. Un an avant, la France avait fait une compagnie d'aviation, Air Afrique, avec les anciennes colonies signataires de la Convention de Lomé. Il leur fallait des navigantes : et comme autant en France qu'en Afrique ce métier était mal vu, la France a décidé de former des hôtesses de couleur ! On était trois Antillaises, on avait même une Algérienne ! Et aussi des métisses Afrique-France, et quelques Africaines.

En 1975 j'ai loué un petit 2 pièces, dans le 15e, près de Porte de Versailles, et là j'ai traversé : je suis allée dans le 13e, j'étais enceinte, c'était un 4 pièces, avenue de Choisy, avec mon compagnon.

En 1976 on a sous-loué l'appartement pour partir en Corse : mon compagnon travaillait au Club Méditerranée, je l'ai suivi, après l'avoir rencontré d'ailleurs comme ça en Guadeloupe où il travaillait. Ma fille a été faite en Guadeloupe, couvée en Guadeloupe et elle est née toujours sur une île, dans le 4e, à l'Hôtel-Dieu. En Corse on avait une petite maison, un F4.

Je reprends mes vols en 1979, après avoir acheté une petite maison dans le Val d'Oise, à Fosses, un F4 de 75 m^2, avec un grand jardin de 750 m^2. On a acheté à deux. En 1984 on traverse la rue et là on achète une grande maison sur trois niveaux avec 860 m^2 de jardin et 260 m^2 au sol.

J'ai vite sympathisé avec les voisins en arrivant à Fosses, leurs enfants jouaient avec la mienne. C'était vraiment le petit village, tout le monde connaissait tout le monde. Et là j'ai fait partie d'une association d'Antillais. Je ne travaillais plus depuis mon accident d'avion en 1988 – un trou d'air et j'étais retombée sur un accoudoir dans l'axe de la colonne vertébrale. L'association était surtout composée de Martiniquais, très chauvins, très agréables. Mais c'était quand même assez superficiel : tu rencontres l'Antillais mais sans rentrer dans sa vie. Mon parcours est assez particulier : même aujourd'hui je me sens nulle part : je suis là ! En Guadeloupe, je suis bien, avec mes amis français je suis bien… Alors que dans les associations que j'ai connues il y a des gens c'est Antilles Antilles Antilles ! Moi où je suis je suis bien, et je suis intégrée où je suis ! Faut pas qu'on me dise « il n'y a que les Antilles ! »

J'ai un appartement en Guadeloupe qu'on a acheté en 2001. Quand j'y vais, je suis en Guadeloupe ! Car ma fille voulait s'y installer, elle en avait marre de la France : elle a reçu un coup de couteau dans le dos au lycée où elle était surveillante. On a jamais su qui c'était, on pense que c'était une provocation politique durant les municipales, de l'extrême droite. Le maire était communiste, et c'était tout à fond sur la sécurité !

En Guadeloupe on était partis pour lui acheter un studio, et on s'est dit que quand on viendrait valait mieux acheter plus grand. C'est un F3 de 75 m^2. Elle est restée un an, mais pour finir sa thèse il valait mieux qu'elle reste près de son université ici, en Métropole. Je lui ai acheté un studio au Pré-Saint-Gervais, où elle habite depuis un mois et demi. Comme moi j'ai des avantages de transport, j'ai gardé l'appartement en Guadeloupe que j'ai mis aussi au nom de ma fille. Je peux y aller quatre ou cinq jours ; il sera loué en février, pour le louer de temps en temps. Moi j'avais un peu fait un trait sur la Guadeloupe, je ne voyais plus mon père depuis mon enfance là-bas… c'est ma fille qui voulait le connaître, alors que moi j'allais en Martinique pour voir les amis, mais jamais en Guadeloupe. Le fait de s'y installer pour elle c'était aussi par le grand-père, reprendre le contact avec la famille. Avec mon père et son fils, on est très proches maintenant : ils viennent en France où mon père a un appartement, à Paris, quai Saint-Michel !

En 2004 je me suis séparée de mon compagnon, après trente ans de vie commune sans nuages. On aurait peut-être eu besoin d'une aide conjugale, on était sans communication, on n'a pas voulu se battre. Notre fille nous en veut beaucoup, elle ne s'y attendait pas. On a vendu la maison, en 2004, moi j'avais acheté à mon nom cet appartement, un 53 m², en 1997, que je louais pour quand on serait vieux. Pour moi Paris est une ville de vieux, mais aussi de jeunes ! De vieux car tu as pas besoin de voiture, tous les commerçants sont en bas de chez toi, les transports c'est fait pour nous, et pour les jeunes pour sortir pour être au milieu de la vie culturelle : donc quand on sera vieux… En fin de compte, j'ai récupéré mon appartement : je m'y plais beaucoup, ma maman vit toujours dans le sien pas loin, mes amis… même si j'étais à 35 km auparavant, j'y étais très souvent ! Je reprenais la voiture même le soir pour y descendre. Paris n'a jamais été hors ma vie !

Décryptage(s)

L'architecture d'intérieur et le mobilier chez Marylin allient à la fois le style bourgeois à la française et le côté « rive gauche » avec des statues africaines et une bibliothèque très présente et bien fournie. On sent l'importance que l'Afrique occupe dans sa vie, et pas seulement d'un point de vue professionnel (elle a travaillé pour Air Afrique). Dans son regard et sa façon de s'exprimer, on perçoit la volonté d'une femme qui a « tracé sa route » sans se soumettre à quiconque si ce n'est à sa seule volonté. Une atmosphère de liberté, de voyage, mais aussi de réflexion sur le monde et en s'isolant pour mieux réfléchir dessus, se dégage de cet endroit, à l'image d'une vie en mouvement.

Et du mouvement, il y en a eu : toujours aller de l'avant sans trop se retourner… tel pourrait être résumé le parcours de vie/logement de madame et de sa mère. Et il commence pour elles de façon fracassante : leur logement précaire de Guadeloupe en milieu urbain, dans un *lakou*, est emporté dès le départ vers la Métropole, en 1949 ! Ceux qui n'ont pas eu comme elles de raison d'en partir à temps, notamment celle de se rendre « en France », en sont morts… Migrer, comme un geste du destin pour survivre.

Parties du *lakou*, les deux femmes vont alors connaître une ascension sociale qui se traduira notamment par l'accumulation de capital immobilier, capitalisation qui commence par un achat individuel puis « en couple », avec le mariage chacune d'elles à un Français d'origine non coloniale :

- De l'hôtel dans le 15e aux chambres de bonne, la mère de Marylin passe à la propriété avec l'achat de son premier logement, un petit deux pièces. La collusion entre employés de service antillais et riches familles notamment juives, se fait alors dans cet arrondissement, avec ses rencontres parfois déroutantes et enrichissantes (Marylin évoque probablement une rescapée d'un camp de concentration qu'elle croisa dans une des familles dites « nourricières » d'après-guerre où elle était placée, et qui l'amenait au cirque, faisant son bonheur). Puis la mère de Marylin rencontra une famille qui la prit sous son aile, des intellectuels, lui facilitant l'accès à une éducation de bon niveau et à la propriété aussi en étant aidée financièrement par eux !

- Marylin profitera de ce relationnel (la famille « adoptive » de sa mère sera aussi la sienne, puisqu'elle en considère le « père de famille » comme son grand-père) pour acheter à son tour son premier logement, un studio, toujours comme sa mère grâce à un système de crédits contracté directement auprès du propriétaire et non des banques !
- Puis avec leurs mariages respectifs, elles agrandiront chacune leur parc immobilier, Marylin et son mari louant à Paris pour finalement acheter en individuel comme de nombreux Antillais, dans le Val d'Oise.

Il est intéressant de voir comment ces mêmes familles antillaises arrivées après-guerre dans le 15e, et qui se sont constituées un parc immobilier de petits logements (studios, deux pièces) dans un arrondissement où elles travaillaient pour la bourgeoisie, cette bourgeoisie leur ayant à l'époque fait profiter de nombreux avantages (accès à une bonne éducation scolaire, crédits), étaient mieux loties que leurs « compatriotes ». Samuel Thomas, alors vice-président de SOS Racisme, en charge de la lutte contre les discriminations, nous précise que dans ces quartiers côtés, on refuse de louer aux Antillais : « Les propriétaires du 15e ne veulent pas louer aux Noirs ! Ce sont les propos tenus par un agent immobilier du 15e, condamné par SOS Racisme. »

Marylin n'aura en tout cas pas à faire subir à sa fille la discrimination au logement de Métropole puisqu'elle lui a fait profiter de son patrimoine immobilier, en achetant au nom de sa fille en Guadeloupe (un F2 pour faire le va-et-vient elle aussi au lieu d'un studio prévu originellement uniquement pour sa fille), puis un studio en région parisienne. Mais sa fille a subi de plein fouet la discrimination, de façon encore plus violente, au risque d'y perdre la vie : alors qu'elle était surveillante en région parisienne, sa fille a reçu dans l'école un coup de couteau qui « par chance » a été dévié, porté en pleine période d'élections (les médias s'étaient alors emparés de cette affaire), ce qui l'a ensuite amenée à s'éloigner un temps de la Métropole, pour se protéger. Le retour aux racines, en Guadeloupe, que réclamait sa fille en passant par la « recomposition » de sa famille antillaise aux Antilles, a amené Marylin à y retourner, pour également s'y reconstruire : à la demande de sa fille, elle est revenue sur les traces de son père, plus d'un demi-siècle après avoir tiré un trait sur « le pays ». Ainsi les enfants de migrants sont ceux qui poussent parfois les parents à retisser les liens rompus avec le pays de provenance.

Depuis l'Allemagne je voulais acheter : en partant de la sous-location j'ai vécu chez ma marraine à Orsay pour économiser. Au bout d'un an et demi j'ai acheté, à Bagneux. Y'a beaucoup d'Antillais là-bas, d'ailleurs tu vois, j'y suis.

Stéphanie, 38 ans, née à Paris (parents de la Martinique)[1]. *Dans un bar Place de Clichy*

Je suis née à Paris 14e. Nous habitions à Athis-Mons. On vivait dans un studio avec ma sœur et mes parents. À mes 1 an, ma mère a eu un HLM à Montrouge, un F2, ensuite un F3. C'était dur à cette époque-là : ma mère est une femme de caractère, elle voulait voir le maire avec son gros ventre, enceinte de moi : fallait avoir du culot, le logement elle l'a eu comme ça.

À Montrouge c'était très cosmopolite : j'avais plus des copains algériens, marocains, français et un peu antillais : j'étais super *open* à l'époque, je me suis très vite fondue dans le cosmopolitisme. Mon meilleur ami c'était un Algérien. Jusqu'à 18 ans mes repères, la cité, je me suis toujours sentie en sécurité, même si autour de moi y avait des problèmes de délinquance, telle ou telle personne était morte d'overdose, ça aussi c'est la vie des banlieues. Je sais que vers l'âge de 15 ans j'aurais pu mal tourner car je fréquentais notamment une personne de mon âge que mes parents auraient pu qualifier de « mauvaise fréquentation ». C'était une Algérienne, elle volait, elle s'est fait virer de l'école, moi j'adorais ça… c'est vrai que dans les banlieues c'est bien d'avoir les parents, les deux, comme repères, comme piliers, et beaucoup d'amour.

---

1. Propriétaire d'un F2 à Bagneux. Locataire d'un F4 suite à l'appui du CMAI dans le 20e (vers la Porte de Bagnolet). En couple. Loyer de 1 300 euros, vient de monter son entreprise pour promouvoir la destination « Martinique », notamment en Europe.

À mes 16-17 ans mon père a voulu retourner en Martinique pour construire sa maison, c'était son rêve : il avait pris une dispo, il travaillait aux PTT. Je suis restée avec ma mère et ma sœur, au bout de deux ans ma mère l'a rejoint : elle était infirmière, elle a pris sa retraite anticipée.

Quand j'ai eu 22 ans l'ami de ma sœur est venu vivre avec nous, puis je suis partie à Londres comme fille au pair : je voulais parfaire mon anglais après mon BTS, et j'ai eu une amie, algérienne, qui m'a branchée sur une famille anglaise où elle était allée. J'ai vécu pas loin de Brixton, le quartier afro-antillais. La famille – ils étaient avocats tous les deux – c'est eux qui m'ont branchée sur le marché de Brixton, le marché exotique : j'ai vu des quenettes à Londres, j'étais contente de retrouver quelque chose de mon pays, à Londres. J'ai fait beaucoup de bien à leur enfant, qui avait une forme d'autisme ; j'ai toujours voulu travailler avec les enfants en difficulté.

Le soir j'allais chez les Blacks, à Brixton, c'était un peu dangereux ; c'est bizarre pour moi de dire « Black », mais c'est plus ethnies : je me sentais pas aux Antilles… on me parlait en anglais, Barbade, Sainte-Lucie. On a beau dire, y'a une grosse différence entre les Antilles francophones et anglophones : ils sont plus eux, ils sont plus fiers d'être eux, alors que nous on est plus dans le superficiel. Par contre le côté dangereux, atmosphère de banlieue, je l'ai connu ; j'ai toujours nagé entre deux mondes : le côté *zion*, et le côté friqué.

Mes meilleures amies ici sont deux métropolitaines : je me sens pas en harmonie, je me reconnais pas avec la femme antillaise née là-bas. Les mentalités sont différentes : jalousie, macrélage, je trompe mon mec, j'te le pique… peut-être parce que je suis née ici aussi !

Le monde antillais je le voyais plus pour ma famille, mon antillanité, on parle en créole, donc j'avais pas besoin en plus à l'école d'être avec des Antillais… jusqu'à maintenant !

Quand j'étais à Londres l'ami de ma sœur est décédé d'un accident de voiture, ça m'a affecté, j'ai arrêté d'écrire à ce moment-là. En même temps ça faisait longtemps que j'avais pas vu mes parents, j'ai postulé à [...] de Martinique, mon anglais a été un atout pour un job d'été avant de rentrer à Paris. Finalement ils m'ont prise, j'y suis restée treize ans : cinq ans en Martinique, trois ans en Allemagne, et trois ans à Paris.

Au début je logeais chez mes parents, mon père est décédé à peine un an après mon arrivée, donc je suis restée avec ma mère pour l'épauler. J'ai vécu les veillées où tout le monde rigole, j'étais choquée, j'étais pas habituée à ça ! Leur maison est un F5, spacieuse, en périphérie de Fort-de-France. Là j'ai tous les Indiens de ma famille, mon arrière-grand-mère était de Calcutta, mon arrière-grand-père de Pondichéry. C'est l'oncle de ma mère qui m'a raconté tout ça. Ils sont arrivés après l'abolition de l'esclavage en Martinique. Moi on m'appelle chapée coolie, je vois pas le côté péjoratif, c'est comme quand on m'appelle négropolitaine en Martinique, ça me pose pas de problème : je me fonds dans le monde, c'est ma fierté. Là-bas j'ai essayé de m'adapter, Paris et la Martinique sont riches tous les deux.

En Martinique ma mère m'étouffait, elle voulait que je remplace mon père je pense : j'ai pris mon appartement à Case-Pilote, au Nord dans les hauteurs, un F2 mezzanine. C'était la nature, de mon appartement je voyais les pêcheurs partir en mer, à côté les voisins avaient des chèvres, mon chien était sur la pelouse. Puis j'ai rencontré [...], on est restés deux ans ensemble, j'ai été déçue. Au boulot je stagnais, j'ai saisi une opportunité d'aller dans une antenne à Francfort, et je suis restée trois ans en Allemagne.

Là c'était dur, au niveau personnel : je sentais bien une différence avec les Allemands, froids, peu chaleureux, et moi, plutôt latine. J'ai eu du mal à m'adapter, j'avais aussi besoin de prendre du recul à ce moment-là... je me suis renfermée sur moi-même. J'étais dans un studio, pas loin du travail, dans un quartier sympa de Francfort. J'ai connu un Noir américain, chanteur qui marche bien maintenant, il habitait Cologne, une ville d'artistes. Lui et Cologne, c'était mon rayon de soleil ! Lui aussi a des origines indiennes, il est de L.A. On s'est séparés. J'ai eu un problème à l'oreille, grave, j'étais seule à l'étranger, malade : j'ai voulu retourner près des miens, en Métropole, en Martinique.

En Métropole j'ai repris des études, à la Sorbonne : je voulais être cadre, je voulais plus penser à moi au niveau personnel. La semaine je travaillais à [entreprise de tourisme], le week-end je travaillais sur le mémoire. J'avais pas d'appartement : au début j'étais en sous-location chez une collègue repartie en Martinique, dans un F2 à Guy Môquet. Depuis l'Allemagne je voulais acheter : en partant de la sous-location j'ai vécu chez ma marraine à Orsay, dans le 91, pour économiser. Au bout d'un an et demi j'ai acheté, à Bagneux, dans le 92.

En fait je voulais pas Bagneux, je voulais Montrouge, Malakoff, dans les coins où j'avais vécu. Bagneux, c'était mal fréquenté, c'était « la Pierre Plate », une rue où fallait pas aller. Y a beaucoup d'Antillais là-bas… d'ailleurs tu vois, j'y suis.

Finalement j'ai trouvé mon bonheur, bel extérieur, bel intérieur, les seuls nègres qu'il y a dans la résidence comme par hasard ils sont en face de moi, un Guyanais, une métisse martiniquaise, ils sont charmants. De temps en temps on fait la fête ensemble. Je m'y sens bien.

Y a trois mois, j'ai voulu revenir sur Paris. Comme j'habitais avec mon ami, on a voulu plus grand, et comme ma mère vient assez souvent, je pourrai l'accueillir. Je suis allée au CMAI : mon ami et moi on avait de bonnes rentrées d'argent, ça a été accepté. Lui, il est comme moi : c'est un Martiniquais né à Paris, et on voulait plus grand : là on a un F4, dans le 20e vers Porte de Bagnolet, ma mère venant souvent ça a joué dans le dossier. Moi j'ai ma société depuis un an et demi, relations presse : j'aime communiquer, organiser de l'événementiel, j'ai de l'espace, je peux travailler de chez moi. Je peux faire le lien entre l'Europe et mon île : je bosse entre la France, l'Allemagne et l'Italie en mettant en avant la destination Martinique. Chez nous il y a des gens formidables, on doit parler d'eux et pas seulement des politiques : y'a des artisans, des paysans, des artistes qui travaillent sur la mémoire, notre identité... il y a des gens magnifiques.

Je pense que Césaire doit être content !

Décryptage(s)

Stéphanie a grandi dans un environnement multiculturel (Montrouge). Elle ne se définit pas seulement comme « antillaise » mais avec une double culture, voire une culture mondialisée.

Son parcours parle d'ailleurs de lui-même :

- En Angleterre, elle a pris conscience de ce que signifie être des Antilles, en Europe. Le fait d'être à l'étranger, de l'autre côté de la Manche, lui a peut-être donné un angle de vue sur elle-même, sur son identité, avec du recul, qu'elle n'avait pas en France.
- Partie vivre en Martinique, elle s'est alors sentie en décalage avec la culture antillaise « des îles », notamment le rapport à la mort (le fait de rire à la veillée pour la mort de son père l'a mise mal à l'aise) ou les rapports homme/femme (« je me sens pas en harmonie, je me reconnais pas avec la femme antillaise née là-bas. Les mentalités sont différentes : jalousie, macrélage, je trompe mon mec, j'te le pique... peut-être parce que je suis née ici aussi ! »).
- Mais elle a approfondi du même coup la connaissance de son « indianité », qu'elle a pu également mettre à l'épreuve en Allemagne, à travers une relation amoureuse avec un Africain-Américain lui aussi d'origine indienne.

Une fois la boucle bouclée de ses retrouvailles identitaires, elle est revenue s'installer au bercail, là où elle avait grandi, en banlieue parisienne. Mais avec un projet de rayonnement sur le monde, avec une base, la capitale, et « son pays », la Martinique, à insérer dans le marché mondial. Un parcours la menant à acheter en banlieue, puis à louer à Paris, va alors se dessiner :

- sous-location par un collègue de travail reparti en Martinique, à Guy Môquet qui apparaît à nouveau comme un lieu particulièrement investi par la communauté antillaise ;
- hébergement chez sa marraine, en banlieue, afin d'économiser ;
- puis face à la difficulté d'acheter à Montrouge, elle devient propriétaire à Bagneux, dans une banlieue qu'elle voyait d'un mauvais œil, mais qui finalement s'est avéré un choix qu'elle ne regrette pas ;
- enfin elle trouve à louer dans le privé à Paris pour 1 300 euros mensuels, avec son concubin (l'attente n'a pas été longue, les revenus du couple étant très bons).

Paris, une des capitales mondiales de la culture, s'est alors avéré comme un choix stratégique prometteur à la fois dans son évolution professionnelle mais aussi familiale, pour « vendre » la destination Martinique, et avoir des enfants.

DERNIER TEMPS

AU CROISEMENT DES REGARDS

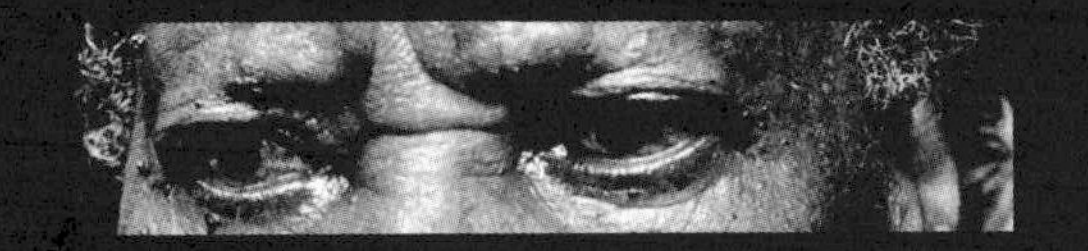

Avec la migration massive durant les années Bumidom orchestrée par l'État pour répondre officiellement aux problèmes de surpopulation et de chômage menaçant dans les DOM-TOM, et de façon moins avouée, pour éviter tout risque d'indépendance notamment aux Antilles-Guyane et exploiter en Métropole cette importante main-d'œuvre dans les bas échelons de la fonction publique, les Antillais se sont installés pour les trois quarts en Ile-de-France. Ils ont d'abord rejoint le mal-logement principalement dans le vétuste parisien (années 1950 et 1960), pour ensuite bénéficier d'un accès en HLM (années 1970, début des années 1980) mais dans les quartiers dits de la ségrégation, dans des « ghettos » souvent situés en grande, voire très grande, banlieue. D'autres s'étant vus refuser trop systématiquement une location ont pu « contourner » cette discrimination avérée en achetant directement après avoir patiemment économisé, notamment dans les villes nouvelles où les Africains ont également été amenés à se déplacer[1].

Aujourd'hui, à la difficulté de « sortir »[2] de l'habitat social (trouver un emploi ou un autre appartement), s'ajoute le problème persistant de la discrimination au logement

1. Les Noirs originaires d'Afrique ont suivi une trajectoire résidentielle qui les a menés, à Paris et en proche banlieue, des « foyers-hôtels » de la Sonacotral (Société nationale de construction de logements pour les travailleurs algériens), en habitat ancien insalubre dans du logement privé à faible coût qui leur était accessible, ou en logement social dégradé (Blanc, 1990 ; Boudimbou, 1992). La Sonacotral devait participer à l'effort de reconstruction de la France de l'après-guerre et fut créée durant une « autre guerre » qui ne disait pas son nom : la guerre d'Algérie, en 1956. Elle deviendra la Sonacotra. Puis, les opérations de réhabilitation dans Paris et la petite couronne ont poussé les familles africaines à rejoindre la grande couronne. Les villes nouvelles ont alors été un pôle d'attraction pour ces familles repoussées hors de la capitale et de sa proche périphérie (cf. Poiret, 1996).

2. Déjà en 2004, le Rapport annuel de la fondation Abbé Pierre observait qu'étaient à l'œuvre des mécanismes de discrimination fondés sur des critères d'appartenance ethnique, tant dans le privé que le public, touchant indifféremment les populations dont l'origine immigrée réelle ou supposée, était « visible » : personnes d'origine maghrébine, d'Afrique noire, de Turquie ou venant des DOM-TOM.

pour les nouveaux demandeurs antillais, qu'ils soient jeunes étudiants, primo-arrivants sans emploi, professionnels de passage pour une formation, et ce quelle que soit leur condition socio-économique. Ainsi, même ceux qui ont « les moyens » se voient souvent contraints de rejoindre le logement privé plus cher et vétuste dans des quartiers déjà à forte présence antillaise où on daigne leur louer mais en les regroupant « bien entre eux »... après qu'on ait refusé de prendre leurs parents en garants, car ces derniers sont considérés ouvertement par de nombreuses agences comme ne vivant pas « en France » (sous le prétexte fallacieux qu'ils seraient fiscalisés aux Antilles), même si la loi a un peu évolué suite à la mobilisation des associations antillaises et antiracistes relayées par les élus.

Comme le souligne J. Galap (2003) qui s'appuie sur de nombreux travaux et enquêtes, la « société d'accueil » en Métropole dans l'accès au logement mais aussi à l'emploi (Raveau, Kilborne, 1976 ; Galap, 1993) est encore très discriminatoire envers les Français issus des DOM-TOM. Cette discrimination se fait sur le critère de la couleur de la peau, noire, assimilant ainsi l'Antillais à un étranger tandis que par exemple un Portugais bien qu'étranger mais blanc, ne la subit pas car considéré comme assimilé.

À cela, il faut ajouter que les Antillais ont un vieux contentieux avec l'Afrique lié à l'esclavage, certains se vexant parfois lorsqu'ils sont vus comme des Africains par des Français racistes ne faisant aucune distinction entre Noirs. Ces mêmes Antillais vont dans certains cas jusqu'à considérer que les immigrés africains sont plus favorisés qu'eux notamment pour l'accès au logement social à Paris, comme nous avons pu le relever lors de nos entretiens, même s'ils sont aussi solidaires de leurs collègues étrangers lorsqu'au travail leur hiérarchie les maltraite. J'ai moi-même assisté dans le métro à une scène très révélatrice, entre d'un côté un Antillais sommant un Africain de « rentrer chez lui », l'autre lui répondant qu'il n'avait aucun ordre à recevoir d'un esclave…

Sur le plan « spirituel », les relations entre Antillais et immigrés ou leurs enfants originaires d'Afrique noire ou du Nord, peuvent parfois rentrer dans une phase de conflits larvés pouvant aussi être très violents avec des histoires sordides notamment lorsqu'il s'agit de relations conjugales les liant, comme nous avons pu le constater lors de plusieurs cas analysés durant de cette enquête. Il semble alors que les vivants doivent s'en remettre aux esprits s'ils veulent imposer leur marque dans l'espace de vie partagé bon gré mal gré entre Antillais et Africains, dans les quartiers pluriethniques : ou comment l'interculturalité se développe sur des lignes de front invisibles mais pourtant là, omniprésentes.

Ce rapport sur le mode « je t'aime moi non plus » tend à s'effacer dans le triangle Porte de Saint-Ouen/Place de Clichy/Château Rouge, le 18e arrondissement étant très prisé par les Domiens pour les nombreux commerces afro-antillais qui y ont pignon sur rue (Toubon, Messamah, 1990 ; Bouly de Lesdain, 1999).

Le « marché exotique » imprime donc la marque afro-antillaise dans l'espace approprié ; et ce qui est exotique pour les uns (Blancs européens), ne l'est pas pour les autres (Noirs originaires d'Afrique et des DOM-TOM). Aller au « marché exotique », c'est donc bien plus que faire ses courses pour acheter tel ou tel produit qu'on ne trouverait pas ailleurs : c'est comme faire acte de revendication identitaire en Europe, comme se retrouver entre personnes d'une même condition, voire implanter une parcelle de chez soi, de sa terre natale, dans la terre de migration, tel que le ressentait très explicitement une enquêtée martiniquaise ayant vécu à Londres, ravie de trouver quelque chose de « son pays », à savoir des quénettes au cœur de Brixton, dans la grande ville occidentale. Cette jeune femme de classe moyenne supérieure ne cherchait d'ailleurs pas à opposer son pays d'origine et l'Europe, mais plutôt à ouvrir les Antilles sur un monde globalisé, depuis les grandes capitales Londres ou Paris dans laquelle elle put louer à son retour en France.

Pour beaucoup d'autres, à revenu instable et peu élevé, trouver à se loger décemment dans la capitale et sa banlieue est un parcours du combattant qui est parfois sans fin : le logement « provisoire » s'éternise, avec d'autres familles d'origine immigrée, souvent africaines ou d'Europe de l'est, parfois avec plusieurs enfants, dans des conditions de sécurité pouvant être déplorables comme j'ai pu l'observer sur le terrain dans des chambres d'hôtels sinistres : armoires sans portes, cartons et sacs-poubelles entassés, remplis de vaisselle, de vêtements (manque d'espace et caractère précaire du logement, les occupants imaginant devoir partir du jour au lendemain, donc jamais vraiment « installés »), et l'insécurité totale pour les enfants jouant au ballon dans les escaliers avec des fenêtres ouvertes au niveau du parquet à chaque étage, sans rambardes…

L'hébergement entre plusieurs logements de membres de la famille ou d'amis, parfois même le squat après une expulsion, etc., peuvent durer des années, certaines personnes ayant attendu dix ans un relogement après de multiples courriers envoyés à tous les échelons politiques comme évoqué dans cet ouvrage alors qu'ils réunissaient les conditions d'urgence depuis longtemps.

Les Antillais se retrouvent en général toujours plus loin en grande banlieue à fort pourcentage en logement social, telle Sarcelles dont les autorités souhaiteraient aussi attirer une population plus solvable et stable :

> Beaucoup de gens à problème qui n'ont pas trouvé à se loger, viennent s'installer à Sarcelles. Avec des adresses d'amis ils se procurent des certificats d'hébergement pour venir ici. Nous sommes une ville où seulement un tiers de la population paie des impôts : Sarcelles est une ville pauvre, et nous sommes très demandés. Nous avons mis en place une politique pour que les gens

démunis puissent vivre dignement à Sarcelles. On a beaucoup construit, il reste peu d'espace disponible [...] nous avons mis en demeure les bailleurs de réhabiliter leur parc social[1].

Le maire également rencontré à cette occasion, M. Pupponi, insista sur le fait que la ville avait fait énormément pour les communautés vivant là, notamment celles issues de l'Outre-Mer pour lesquelles, selon lui, Sarcelles joua le rôle de porte d'entrée en Métropole (tout comme ce fut le cas pour les Pieds-Noirs après leur départ d'Algérie). La « vie » en extérieur, avec des lieux de convivialité au bord de l'eau le week-end et surtout l'été au « lac », une appropriation de l'espace plus informelle avec « les jardins », ainsi que des lieux de mémoire forts sur la lutte des Antillais contre l'esclavage et l'hommage aux victimes, font de Sarcelles, indubitablement, un point de ralliement de bon nombre d'Antillais habitant en Ile-de-France. Se tourner donc vers son passé, son identité, en s'appuyant sur le drame de l'esclavage plutôt que de l'enfouir, pour se (re) construire comme le tente patiemment le CM98, savoir qui l'on est ou réapprendre à se connaître, afin de mieux appréhender l'avenir... Mais de quel avenir parle-t-on ?

Agir dans les associations mais aussi les conseillers municipaux ou encore l'Assemblée en tant qu'élus de l'hexagone et pas uniquement des DOM pour être mieux représentés en adéquation avec l'évolution de la société française davantage pluriculturelle, ou ne servir que de prétexte pour des partis politiques qui resteraient peu enclins à ouvrir sincèrement de l'espace aux « minorités visibles » ? Sortir du petit fonctionnariat, secteur qui n'embauche d'ailleurs plus préférentiellement les Antillais comme sous les années Bumidom, pour entrer dans le monde de l'entreprise dans une société qui s'est profondément tournée vers le libéralisme depuis les quarante dernières années, ou s'enfoncer

---

1. Entretien avec le responsable de la Maison de l'Outre-Mer de Sarcelles, 16 décembre 2005.

dans la crise, « l'indifférence » et « l'invisibilité », les petits boulots ou les trafics en tous genres… ?

Et demain, que deviendront les arrière-petits-enfants des migrants de masse des années 1960-1970, ou encore les candidats plus récents au départ de Guadeloupe et de Martinique ? Préféreront-ils à Paris les grandes villes du Canada, des États-Unis, d'Angleterre ? Partir pour mieux revenir, ou perdre pied, entre deux eaux ?

Peuvent-ils espérer encore un sursaut des Antilles pour s'y investir, alors qu'à l'étincelle mobilisatrice du mouvement de grève générale en 2009, a succédé une augmentation de la violence sans précédent, pourtant pronostiquée bien à l'avance par Élie Domota[1], leader du LKP, si aucune politique d'envergure n'était engagée afin de (re) mettre ces îles à flot ?

Auront-ils gagné en France le combat contre les discriminations, avec l'appui des associations de jeunes des quartiers, antiracistes et communautaires ? Ou ces nouvelles générations réussiront-elles leur pari du développement économique individuel puis collectif, sur place à Paris et en lien avec les Antilles, en faisant de leur culture non plus avant tout un critère d'attachement à leur terre d'origine, mais un vecteur central pour leur tentative d'ascension sociale dans un monde globalisé dont il semblerait qu'elles en intègrent et assument les conditions, pour ne plus avoir seulement à le subir ?

---

1. En 2013, avec un taux de plus de dix morts pour 100 000 habitants dus à des meurtres liés à la drogue, l'alcool ou plus largement les règlements de compte entre bandes rivales, la Guadeloupe a explosé le record de France, se rapprochant plus en proportion des taux de pays d'Amérique latine rongés par la pauvreté et le trafic de stupéfiants. Élie Domota avait répondu en 2013, mais alerté bien avant sur cette inévitable dérive compte tenu du contexte, que « la violence à laquelle on assiste est le résultat de la désespérance provoquée par les mauvaises politiques publiques menées depuis longtemps ». Et à ceux qui accusaient le LKP d'avoir détruit la croissance et engendré la haine, il avait rétorqué : « Les accords signés en 2009 sur la vie chère ne sont pas respectés donc la situation empire dans la mesure où ce qui était prévu n'a pas été fait. […] Est-ce la faute de notre mouvement si le taux de chômage est si élevé, si les patrons ne paient pas leurs charges sociales, s'il y a autant de crack et de cocaïne sur l'île ? Ceux qui mettent en avant le mouvement de 2009 le font pour se décharger de leurs responsabilités » (Boudet, 2013).

BIBLIOGRAPHIE

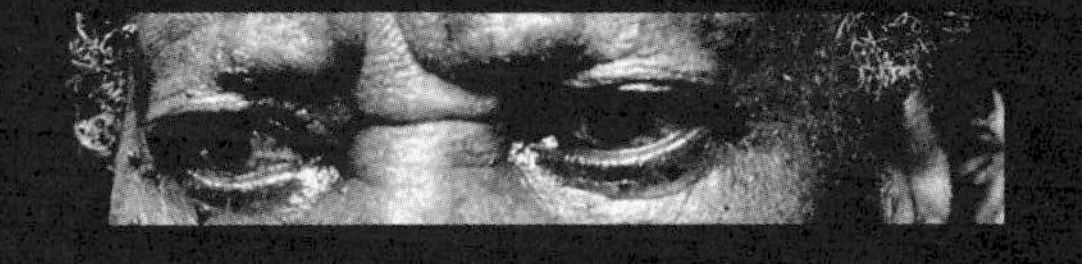

Anselin A. (1979), *L'émigration antillaise en France*, Paris, Anthropos.
Anselin A. (1990), *L'émigration antillaise en France, la troisième île*, Paris, Karthala.
Blanc M. (1990), « De l'habitat insalubre au logement social défavorisé », *Les Annales de la recherche urbaine*, n° 9.
Boudet A., « Violence en Guadeloupe : pourquoi l'île est le département le plus meurtrier de France ? », *Le Huffington Post*, 17 octobre 2013.
Boudimbou G. (1992), *Habitat et mode de vie des immigrés africains en France*, Paris, L'Harmattan.
Bouly de Lesdain S. (1999), *Femmes camerounaises en région parisienne. Trajectoires migratoires et réseaux d'approvisionnement*, Paris, L'Harmattan.
Collignon D. (2002), « Les natifs des Dom résidant en Métropole en 1999 », in *Données sociales. La société française, 2002-2003*, Paris, Insee.
Comité Marche du 23 mai 1998 (2010), *Non an Nou, le livre des noms de familles guadeloupéennes,* Pointe-à-Pitre, Jasor.
Comité Marche du 23 mai 1998 (2012), *Non an Nou, le livre des noms de familles martiniquaises,* Pointe-à-Pitre, Jasor.
Condon S. (1993), *L'accès au logement : filières et blocages. Le cas des Antillais en France et en Grande-Bretagne*, Paris, Groupe d'études de démographie appliquée.
Condon S. (1995), « France-Angleterre, histoire comparée du logement des Antillais », *Hommes et Migrations,* n° 1193.
Fondation Abbé Pierre (2004), *Rapport annuel sur le mal-logement en France,* Paris, Fondation Abbé Pierre.
Galap J. (1993), « De la famille matrifocale à la famille nucléaire », in Candessus B. (dir.), *Quand les parents s'en mêlent*, Paris, ESF.
Galap J. (2003) « Stratégies identitaires des Antillais en milieu interculturel », *Migrations santé,* n° 115-116.
GELD (2001), « Les discriminations raciales et ethniques dans l'accès au logement social », *Note du GELD*, n° 3.
Gircour F., Rey N. (2010), *LKP, Guadeloupe : le mouvement des 44 jours,* Paris, Syllepse.
Gracchus F. (1987), *Les lieux de la mère dans les sociétés afro-américaines*, Paris, Éditions caribéennes.
Leprette J. (1960), « De la Commission des Caraïbes à l'Organisation des Caraïbes », in *Annuaire français de droit international*, vol. 6, n° 6.
Letchimy S. (1992), *De l'habitat précaire à la ville : L'exemple martiniquais*, Paris, L'Harmattan.

Lévy J.-P. (1984), « Ségrégation et filières d'attribution des logements sociaux locatifs : l'exemple de Gennevilliers », *Espaces et Sociétés*, n° 45.

Liagre M.-O. (2001), « Un ménage sur deux a déménagé depuis 1990 », Insee, Ile-de-France, *Regards*, n° 51.

Magnaval M.-C. (2004), *Les postiers déracinés. Provinciaux, Antillais... Des racines et des lettres*, Paris, L'Harmattan.

Marie C.-V. (1985), « Les populations des Dom-Tom en France », *Ici Là-bas*, supplément au n° 7, journal de l'Agence nationale pour l'insertion et la promotion des travailleurs d'Outre-Mer.

Marie C.-V. (2004), « Migrations croisées entre Dom et Métropole : l'emploi comme moteur de la migration », in *Espaces, Populations, Sociétés*.

Poiret C. (1996), *Familles africaines en France. Ethnicisation, ségrégation et communalisation*, Paris, L'Harmattan.

Poulet H. (2013), *Kenbwa en Gwada. Le tout monde magico-religieux en créole*, Guadeloupe, Caraïbeditions.

Raveau F., Kilborne B. (1976), « Perception sociale de la couleur et discrimination », *Cahiers d'anthropologie*, Paris, n° 4.

Rey N. (2001), *Lakou & Ghetto, les quartiers périphériques aux Antilles françaises*, Paris, L'Harmattan.

Simon P. (2005), « La mesure de l'égalité : mixité sociale et discriminations. Les indicateurs statistiques et leur interprétation », *Informations sociales*, n° 125.

Toubon J.-C., Messamah K. (1990), *Centralité immigrée : le quartier de la Goutte d'Or, Paris*, Paris, L'Harmattan-CIEMI, 2 volumes.

Warin P. (1993), « Les relations de service comme régulations », *Revue française de sociologie*, XXXIV.

Wallon G. (2006), « "Vous ne voulez pas me loger parce qu'il y a trop d'Africains ?" Un Français d'origine ivoirienne privé de HLM pour "mixité sociale" », *Libération*, 2 août.

Weber A. (1994), *L'émigration réunionnaise en France*, Paris, L'Harmattan.

age sepec - France
65150404 - Dépôt légal : avril 2015

IMPRIM'VERT®

C / Ce produit est issu de forêts gérées durablement et de sources contrôlées. / pefc-france.org